海外漢文古醫籍精選叢書·第二輯

2011—2020年國家古籍整理出版規劃項目
中國中醫科學院「十三五」第一批重點領域科研項目
——我國與「一帶一路」九國醫藥交流史研究（ZZ10-011-1）

蕭永芝◎主編

古方藥議

（日）淺田宗伯 撰

秘傳藥性記

（日）味岡三伯 撰

北京科学技术出版社

圖書在版編目（CIP）數據

海外漢文古醫籍精選叢書・第二輯・古方藥議　秘傳藥性記/蕭永芝主編．—北京：北京科學技術出版社，2018.1
ISBN 978 - 7 - 5304 - 9217 - 8

Ⅰ．①海…　Ⅱ．①蕭…　Ⅲ．①中藥學　Ⅳ．①R28

中國版本圖書館 CIP 數據核字（2017）第207175號

海外漢文古醫籍精選叢書・第二輯・古方藥議　秘傳藥性記

主　　編：蕭永芝
責任編輯：張　潔　董桂紅　周　珊
責任印製：李　茗
出 版 人：曾慶宇
出版發行：北京科學技術出版社
社　　址：北京西直門南大街16號
郵政編碼：100035
電話傳真：0086-10-66135495（總編室）
0086-10-66113227（發行部）　0086-10-66161952（發行部傳真）
電子信箱：bjkj@bjkjpress.com
網　　址：www.bkydw.cn
經　　銷：新華書店
印　　刷：虎彩印藝股份有限公司
開　　本：787mm × 1092mm　1/16
字　　數：368千字
印　　張：31.5
版　　次：2018年1月第1版
印　　次：2018年1月第1次印刷
ISBN 978 - 7 - 5304 - 9217 - 8/R・2378

定　　價：**880.00元**

《海外漢文古醫籍精選叢書·第二輯》編纂委員會

前　言

二十多年前，本研究團隊成員蕭永芝剛剛考入中國中醫研究院（現爲中國中醫科學院）攻讀博士學位，師從著名中醫文獻學家馬繼興先生。那時，馬老師經常對弟子們説：「中國的醫書要回歸，海外的醫書要引進。」馬老師的前一個願望，得到日本學者真柳誠先生鼎力支持，后来在鄭金生先生帶領的團隊的努力下，流散海外的重要中國古醫籍得以收集回歸，并通過《海外中醫珍善本古籍叢刊》等幾套叢書公開出版；馬老師關於引進海外古醫籍的願望，則成爲本研究團隊二十多年來不懈努力的方向。

從二〇〇七年開始，中國中醫科學院中國醫史文獻研究所多次立項支持開展對海外古醫籍的研究。二〇一六年，《海外漢文古醫籍精選叢書》被列入二〇一一——二〇二〇年國家古籍整理出版規劃項目，并獲得該年度國家古籍整理出版專項經費資助。二〇一七年初，在北京科學技術出版社的支持下，《海外漢文古醫籍精選叢書·第一輯》面世，收録影印了二十六種海外醫家用漢文撰寫的古醫籍。回想當年，馬老師正當年富力强，雄心勃勃，胸懷衆多願景，還希望做更多的研究；如今，他已年逾九旬，弟子終於戰戰兢兢捧上一份答卷……

二〇一七年，中國中醫科學院將「我國與『一带一路』九國醫藥交流史研究」列入本院「十三五」第一批重點領域科研項目。在前期工作的基礎上，本團隊再次遴選出二十種海外漢文古醫籍，以影印形式出版《海外漢文古醫籍精選叢書·第二輯》。

本次所精選的圖書含日本醫籍十三種、越南醫籍五種、韓國醫籍二種，内容涉及醫經、醫論、本草、醫方、針灸、兒科、臨床綜合及醫學全書。我们根據實際情况分别爲二十種著作撰寫了三千到萬餘字不等的内容提要，每篇提要從作者與成書、主要内容、特色與價值、版本情况四個方面展開論述。

本次所收醫籍的主要資訊，依次爲書名、卷（編）數、分類、撰著者、成書年代和所用底本，具體如下。

《難經捷徑》，二卷，醫經，（日）曲直瀨玄由撰，寬永十四年（一六三七）以活字本初刊，同年古活字本。

《海上大成懶翁集成先天》，一卷，醫論，（越）黎有卓撰，撰年不詳，鈔本。

《櫟蔭先生遺説》，二卷，醫論，（日）多紀元簡遺作，多紀元堅輯録，撰年不詳，慶應三年（一八六七）森約之鈔本。

《寸楮集》，不分卷，醫論，（日）曲直瀨道三撰，曲直瀨正琳注，撰年不詳，鈔本。

《用藥心法》，一卷，本草，（日）曲直瀨道三傳，津島道救選輯，慶長十二年（一六〇八）成書，鈔本。

《本草綱目鈎衡》，四卷，本草，（日）向井元秀撰，撰年不詳，寬政九年（一七九七）鈔本。

《傷寒論金匱要略藥性辨》，三編（存中、下二編），本草，（日）大江學撰，明和三年（一七六六）成書，次年刻本。
《古方藥議》，五卷，本草，（日）淺田宗伯撰，文久元年（一八六一）成書，文久三年（一八六三）鈔本。
《秘傳藥性記》，不分卷，本草，（日）味岡三伯撰，元禄元年（一六八八）初刊，同年刻本。
《管蠡備急方》，三卷，醫方，（日）度會常光撰，天文三年（一五三四）成書，鈔本。
《崇蘭館試驗方》，不分卷，醫方，（日）福井楓亭口授，撰年不詳，鈔本。
《古方藥説》，二卷，本草，（日）宇治田泰亮撰，寬政七年（一七九六）刊，同年刻本。
《家傳醫方》，不分卷，醫方，（越）撰者佚名，明命三年（一八二二）成書，同年鈔本。
《醫方軌範》，存卷下，醫方，（日）今大路玄淵傳，撰年不詳，鈔本。
《辨證配劑醫燈》，三卷，臨證綜合，（日）曲直瀨道三撰，元龜二年（一五七一）成書，鈔本。
《雜病提綱》，不分卷，臨證綜合，（朝）撰者佚名，撰年不詳，鈔本。
《穴處治法》，不分卷，針灸，（朝）撰者佚名，撰年不詳，鈔本。
《針灸法總要》，不分卷，針灸，（越）撰者佚名，明命八年（一八二七）成書，嗣德三十三年（一八八〇）鈔本。
《家傳活嬰秘書》，不分卷，兒科，（越）撰者佚名，撰年不詳，成泰二年（一八九〇）鈔本。
《新鐫海上懶翁醫宗心領全帙》，六十六卷（存五十五卷），醫學全書，（越）黎有卓撰，景興三十一年（一七七〇）成書，嗣德三十二年（一八七九）至咸宜元年（一八八五）間刻本。

上述海外古醫籍，絶大多數用漢文撰著，僅有個别醫書雜有少量日文或喃文。以上書籍中明確標明完成時間或可大致推測出撰寫時段的醫書，多成書於十六至十九世紀，大致相當於中國明清時期，其中不乏學術價值較高的名家名著。以「越南醫聖」黎有卓與日本醫學中興之祖曲直瀨道三爲例介紹如下。

黎有卓，自號海上懶翁，是越南歷史上最負盛名、影響最大的醫家，被後世尊爲「越南醫聖」。他在汲取中國醫學精髓的基礎上，結合越南本土醫療實踐，撰成六十六卷規模的鴻篇巨著《海上懶翁醫宗心領》。該書是越南傳統醫學歷史上第一部内容系統完備的綜合性醫學全書，標志着越南傳統醫學的本土化基本完成，在該國醫學史上具有里程碑式的意義。二〇〇三年，真柳誠先生首次在日本向蕭永芝推薦《海上懶翁醫宗心領》一書；二〇〇四年，蕭永芝回國後隨即向馬繼興先生報告此事，馬老師師徒幾人當即前往中國國家圖書館考察該書；此後，本團隊在研究過程中發現，中國醫史文獻研究所已故老專家趙璞珊先生曾在二十世紀八十年代就撰文介紹過該書；二〇〇八年，真柳誠先生再次建議出版該書。中外幾代學者對《海上懶翁醫宗心領》的重視，也從一個角度説明了該書的價值和重要性。因此，在《海外漢文古醫籍精選叢書・第一輯》中，本團隊先期影印了黎有卓《海上懶翁醫宗心領》早期流傳的四册鈔本，冠以《懶翁醫書》之名出版；本次則將刻本《新鐫海上懶翁醫宗心領全帙》現存的五十五卷全部影印出版，希望能够反映出越南傳統醫學的精華及其學術淵源。此外，本叢書收録的鈔本《海上大成懶翁集成先天》，亦爲黎有卓醫書早期的手稿或傳抄之本。

曲直瀨道三（正盛），日本中世紀末期著名醫家、醫學教育家，對日本醫學産生過深遠的影響，被醫爲日本醫學中興之祖。道三早年師從曾入明學醫的名家田代三喜，受其師影響創立了日本漢方醫界的後世方派。爲改變當時日本醫者單純依賴《太平惠民和劑局方》診病處方的被動局面，道三提出「察證辨治」，即診察每位患者的病證，然後有針對性地予以配劑施治。道三一生著述頗豐，其《辨證配劑醫燈》一書，載述臨床各科常見病證的病因病機、診斷察證、辨治預後及注意事項。全書貫串着診察辨證的思想，是後世方派系統實用的臨證處方秘典。曲直瀨家族是日本著名的醫學世家，世代名賢輩出，亦有衆多醫著流傳。例如，曲直瀨玄由祖述《黄帝内經》，博采諸家注本之言，參以己見，全文注解并闡發《難經》之旨，撰成《難經捷徑》一書，是日本現存較早的《難經》注解性著作，具有較高的研究價值。曲直瀨正琳輯録并注釋道三親傳之心法秘訣，書成之後定名爲《寸楮集》。該書作爲後世方派的秘傳經驗合集，充分體現了道三察證辨治、重視脉診的學術特色。曲直瀨玄鑑被後陽成天皇賜予「今大路」的家號，之後曲直瀨家子孫均改姓今大路。如今大路玄淵，爲曲直瀨（今大路）家第六代道三，他將家族精心甄選并經歷代親試的效驗良方彙編爲《醫方軌範》一書，所收醫方涵括臨床各科，具有較高的臨床實用價值。此外，曲直瀨道三還創辦了日本歷史上第一所醫學校啓迪院，培養了衆多門生弟子，其中部分弟子成爲日本醫界的中流砥柱。如門人津島道救選編道三的臨床用藥、辨治經驗，彙爲《用藥心法》一書。該書凝聚了道三畢生臨證用藥經驗之精華，處處體現出道三察病辨治的核心思想。曲直瀨道三的養子玄朔培養了弟子饗庭東庵。饗庭東庵及其徒味岡三伯是後世方别派的代表醫家。味岡三伯將本草學理論與臨床實踐相結合，融入自己對疾病及用藥的感悟，選取該流派臨床常用效驗之藥，分别述其和名、炮製、性味、功效、主治、禁忌及所涉方劑等，編撰《秘傳藥性記》一書，系統條理，重點突出，便捷實用，體現了中國醫藥理論及其實踐對日本本土醫藥學發展的影響。

上述六部醫籍均傳承了曲直瀨道三獨特的學術理念與臨證實用經驗秘訣，展示了道三深厚的醫學造詣及其醫學思想在日本的傳承發展。幾部著作之間既有獨特的價值韵味，又有着千絲萬縷的内在聯繫，從不同角度反映了曲直瀨道三及其子孫、弟子的學術特色。讀者可綜合比較閲讀，以便更好地理解并挖掘日本漢方醫學後世方派的學術精髓。

曲直瀨道三主要活躍於十六世紀中後期，以其爲鼻祖的後世方派注重吸收中國宋金元明醫學精華，尤其推崇李東垣、朱丹溪兩位醫家的醫學思想。十七世紀中葉，日本著名醫家名古屋玄醫提出醫學復古論，倡導回歸張仲景《傷寒論》《金匱要略》的古醫學，之後又有後藤艮山、香川修德、吉益東洞等名醫及弟子繼其衣鉢。這些醫家自稱爲古方派。在漢代盛行的仲景古方，經他們的闡釋發揮，被賦予了新的生命。本叢書收録的《傷寒論金匱要略藥性辨》《古方藥説》二書，均是爲日本醫者更好地運用仲景醫方而作。《傷寒論金匱要略藥性辨》對仲景醫方所用的藥物逐一辨正，注重鑒别藥材的真僞優劣與相似藥材的辨别應用，側重於闡釋藥物的藥性、功用、主治與臨床應用。《古方藥説》的作者宇治田泰亮，曾師從古方派吉益東洞的弟子中西惟忠與當時的本草大家小野蘭山，兼通傷寒、本草。該書詳細論述了仲景方中部分藥物的名稱、形態、産地、真贋優劣、炮製加工及替代用品。除古方派醫家在研究仲景方中的藥物外，折衷派醫家也對仲景方中的藥物多有研究，如折衷派代表人物淺田宗伯。其書《古方藥議》收録部分仲景醫方用藥，分「釋品」與「釋性」兩項記述藥物，結合仲景原方藥物組成及藥味加減，闡釋藥物的性味、功用，重視藥物的配伍，處處體現出方中有藥、藥中有方的思想。三部醫籍雖分屬古方派和折衷派的本草著作，側重點各有不同，但也存在許多共通之處。例如，三書記載藥物的次序，均依從相關醫方在《傷寒論》《金匱要略》出現的先後順序。讀者若能綜合參閲上述三書，既可加深對日本江户時代古方派用藥特點以及當時藥材種植、采收、炮製與流通情况的了解，又可對仲景醫方用藥有更深刻的認識，臨證運用時也會更加得心應手。

江户時代中期，日本傳承舊學的本草學術漸廢，諸家新説盛行；中國明代李時珍撰著的《本草綱目》也已傳入日本。《本草綱目鈎衡》即是一部運用傳統文獻考據方法研究《本草綱目》的本草學專著。該書對李時珍所載部分藥物逐一進行考證、詮釋和校勘，徵引文獻廣博，尤其推崇中國宋代唐慎微的《經史證類備急本草》，糾正了《本草綱目》中存在的部分錯誤。

除前文所述今大路玄淵所傳《醫方軌範》外，本叢書還收録日本《管蠡備急方》《崇蘭館試驗方》與越南《家傳醫方》三部方書。其中，《管蠡備急方》博引中國明以前歷代諸家方書，經由日本醫學世家度會家族歷代驗證，精選并收録臨證各科效驗良方。全書按疾病分門，因病立門，門下首述醫論，次列方藥，醫者臨證可按病索方，簡明實用。《崇蘭館試驗方》所載之方，多爲日本名醫福井楓亭口授的家傳臨證試驗良方。該書以日語假名讀音爲序記載方劑，所録醫方來源廣泛，總以《傷寒論》《金匱要略》《備急千金要方》《外臺秘要》《太平聖惠方》《太平惠民和劑局方》爲主，兼采中國清以前歷代重要醫書，反映了楓亭既重視經方，又兼用時方的學術特點。此外，越南醫籍《家傳醫方》一書，主要輯録中國明代李梴《醫學入門》和龔廷賢《萬病回春》二書的相關内容，通過取捨化裁，歸納記述了數十種臨床常見病證的對應治方，便捷實用，富有特色。

醫家臨證除采用方藥療病之外，還常應用針灸療法。本叢書收録李氏朝鮮《穴處治法》與越南《針灸法總要》兩部針灸專著。《穴處治法》主要記述經穴、别穴、針灸治療、折量法、針灸擇日等五項内容，其中經穴内容主要引自中國明代李梴《醫學入門》，後四項内容則主要摘自李氏朝鮮時期太醫許任《針灸經驗方》。全書編排巧妙，内容豐富，簡明實用。《針灸法總要》彙聚中國明代徐鳳《針灸大全》、李梴《醫學入門》和龔廷賢《壽世保元》等著作中的針灸醫學精華，主要記載針灸禁忌、五輸穴、靈龜八法主治病證、十四經脉循行流注及其重點腧穴定位、經絡起止、明堂尺寸法、八脉交會穴、奇穴治法等。儘管兩部針灸專著分别出自不同國家醫者之手，但均引用了中國《醫學入門》一書，都收録了十四經穴、骨度分寸定位法、針灸禁忌等内容，皆側重應用特定穴、奇穴，可謂異曲同工，殊途同歸。

周邊國家在學習中國醫學的過程中，漸漸形成了本土化特徵，或衍生出本國的醫學特色。如《家傳活嬰秘書》是一部獨具越南本土特色、自成體系的兒科專著。該書係越南「四民醫館」的家傳經驗秘笈。書中首先論述兒科諸病的見症分型與辨證方法；其次設「置藥治病列湯於下」，載述各種疾病對應的藥方及變方；再次是「治嬰各症方藥」，記載小兒常用治方；从次爲「論外湯症」，詳論以他藥煎湯送服丸、散劑的方法；最後列出兒科常用藥物的漢喃對照。如此環環相扣，自成一體，精審巧妙。其中，「論外湯症」一章，多以一味或數味藥煎湯送服丸、散劑，煎湯之藥隨症狀不同而變化，故隨煎湯之藥的變化，有效地擴充了單種丸、散劑的應用範圍。又如李氏朝鮮《雜病提綱》一書，依次記載雜病提綱、疾病分類、疾病治方，書中内容雖大多源於《醫學入門》《東醫寶鑑》，但經過作者巧妙編排，全書層次分明，内容系統，具有較高的臨床參考價值。再如，部分方書中開始出現一些未見載於中國醫籍的方劑，福井楓亭《崇蘭館試驗方》中收録的若干日本「和方」和福井「家傳方」等，即爲日本醫家自創之方。

前來中國拜師學醫，閲讀中國醫著，師承通曉中國醫學的本國醫家，閲讀本國名醫整理彙編中國醫學的相關著作，是海外醫者學習中國醫藥學的四種主要途徑。然而，前兩種途徑實施起來相對困難，故日本、朝鮮、越南三國名醫大多旁徵博引、取捨化裁中國醫籍以教化後學。以日本江户時代考證派名家多紀元簡遺作《櫟蔭先生遺説》爲例。該書係由元簡之子多紀元堅輯録而成，各篇之間獨立成文，主要論及痙病、麻疹、痔疾、脚氣、小兒吐乳、青腿牙疳，以及藥論、書論、醫論、醫事考證，同時收録元簡治療經驗、見聞心得。全書内容豐富，涉及醫學的方方面面，較好地體現了元簡精於考證、引録廣博、醫術精湛、治驗頗豐的學術特點。書中標注的參考引用著作近九十種，其中援引中國秦漢至清代歷代醫籍五十餘種，中國歷代非醫學文獻近三十種，旁及日本本土醫書五種、朝鮮醫籍二種。書中所引醫學文獻涵括醫經、傷寒、金匱、方書、本草、診法、兒科、外科、針灸、醫論、醫話等衆多類别。此外，該書引文中還提及二十餘位人物，其中絶大多數爲醫家。海外醫家將中國醫學重新化裁編排撰著成書後，部分著作還回流中國，引起中國醫家的重視。如中國清代曾多次刊刻發行，一九四九年以後又多次校注出版，在國内流傳較廣的《勉學堂針灸集成》一書，主要摘録了朝鮮太醫許任《針灸經驗方》全文與朝鮮名醫許浚《東醫寶鑑》的針灸相關内容。該書與本次收載的《穴處治法》一書關係密切，其間的淵源值得進一步考證。

但海外醫者對中國醫學的學習，更加强調其臨床實用性，往往首先汲取適於臨床運用的方法而捨弃醫理闡發的内容。日、韓、越均有一批對中國醫學研究得非常透徹的名醫大家，他們爲方便本國醫者學習和運用中國醫學，汲取中國醫學中最爲精華的部分，將中國醫學化繁爲簡，由博返約，促使其簡約化、本土化。如曲直瀨道三一派借鑒佛經中的經疏形式，巧妙運用綫段、圖表來提煉、歸納中醫藥的關鍵要素，或梳理錯綜複雜的醫理邏輯，用簡潔直觀的方式表達深奥的中國醫藥知識，極大地方便了日本民衆學習應用中國醫學。周邊國家還根據本國國情有選擇地學習吸收中國醫書的内容。如越南地處東南亞中南半島東部，大部分地區爲熱帶季風氣候，濕熱邪盛，國民患病以陽證爲主，故越南方書《家傳醫方》所載病證多爲陽證，陰證較爲少見。

本叢書收録的二十種海外醫籍，雖然有十五種爲鈔本，但其文獻研究價值與臨床實用價值不可小覷。從醫書分類角度而言，本叢書囊括醫經、醫論、本草、醫方、針灸、兒科、臨證綜合及醫學全書。從醫學流派與作者而言，涵蓋日本江户時代後世方派、古方派、考證派和折衷派幾大主流醫學流派，作者則涵括日本、越南兩國衆多名醫大家。書中所收本草著作，既有對張仲景古方用藥的闡釋發微，又有對李時珍《本草綱目》的考證。收録方書，多爲家族世代相傳的效驗良方。傳統醫藥學的理、法、方、藥在本叢書中均有很好的體現。但海外醫籍更加注重著作内容的實用性、簡約化，且具有不同國家的本土特色。

中、日、韓、越四國地理相近、交流頻繁，長期持續不斷的醫學交流，使得彼此的醫學思想、理論、學術和醫療技藝相互交叉貫通，血肉相連，共同爲人類的醫療衛生保健事業做出了巨大貢獻。本次所精選的二十種海外漢文傳統醫籍，獨具特色且國内罕見，能够在一定程度上呈现出中國醫學在海外傳承發展的不同側面，展現出日、韓、越傳統醫學各自的特色，較好地體現了中、日、越、韓之間的醫學發展、傳承流變、共性特色和交流互動。且本次所選之書内容豐富，涵蓋面較廣，具有較高的學術研究價值、文獻參考價值與臨床實用價值，將有助於研究中國醫學對周邊國家傳統醫學的深遠影響，能爲國内廣大中醫藥工作者拓寬思路、開闊視野創造良好的條件。

總之，本研究團隊以「一帶一路」沿綫國家的傳統醫學文獻爲切入點，繼續挖掘具有代表性的海外傳統醫學古籍，再次遴選，影印出版《海外漢文古醫籍精選叢書·第二輯》。希望本叢書能夠吸引更多國内學者關注中外醫學交流的源流與本質，以促進中醫藥的全面發展。本研究團隊也希望不負恩師之望，繼續努力將更多的海外醫籍精品介紹給國内的中醫藥工作者。

蕭永芝　韓素傑

目録

海外漢文古醫籍精選叢書·第二輯

古方藥議

(日)淺田宗伯 撰

内容提要

《古方藥議》全書五卷，成書於日本文久元年（一八六一），作者是明治初期著名漢方臨床醫學家淺田宗伯。宗伯崇尚古方（即張仲景之方），兼用後世方，處方用藥講究配合活用。他將《傷寒論》《金匱要略》兩書之方互參印證，比類歸納，闡述其中百餘種藥物的主治病證，最終闡明藥物的功能效用和加減運用，使此書成爲臨床實用的藥學專著。

一 作者與成書

《古方藥議》各卷之首均題署「信濃　淺田惟常識此著」，卷一之末題「法古居士　森約之以禮讎比」，故知此書爲淺田惟常（宗伯）撰著，經森約之校讎。

淺田宗伯（一八一五—一八九四），初名直民，後名惟常，宗伯爲其通稱；因生於信州築摩郡栗林（今屬長野縣松本市），故號栗園；字識此，源於《傷寒論》桂枝湯條「常須識此，勿令誤也」之文；有藥室稱「勿誤藥室」，同源於此。宗伯祖父東齋、父親濟庵，兩代皆通醫術。宗伯先出遊於高遠藩（今屬日本長野縣伊那市），跟隨中村中倧學醫；繼而「尋入京師，主中西氏家，與吉益、川越二家門生，研究

《傷寒論》」。❶閑暇之餘，遍訪名儒宿醫，求教於江户醫界多紀元堅、小島學古和喜多村直寬三人，學識日增，醫名漸起，最終成爲明治時期折衷派醫家的代表人物。

安政二年（一八五五），宗伯正式任幕府醫師，同年受幕府之命在躋壽館校刻《醫心方》。慶應元年（一八六五），受幕府之命爲法國公使治病，處以「桂枝加茯苓白术附子湯」，聯合針醫治癒公使腰背疼痛，從此舉國聞名。次年，宗伯名列典醫之列，因診治德川家茂將軍「脚氣冲心」之危疾，得升醫官法眼之位。江户後期，宗伯曾支持漢醫存續運動，參與創建温知社，擔任該社第二屆社長。在「漢方存續運動」中，宗伯作爲漢方醫界「六賢人」之一，針對「洋方六科」的科目設置，參與提出開物燮理、臟腑經絡、究理盡性、衆病原機、藥性體用、脉病證治的「漢方六科」。在《近世漢方醫學書集成》第九十五卷卷首，著名漢方醫家矢數道明撰有「明治漢方最後の巨頭——栗園淺田宗伯其人與業績」一文，文中盛贊宗伯，稱「栗園之前無栗園，栗園之後栗園無」。❷

在診病之餘，宗伯更是筆耕不輟，著作等身。在上述矢數道明之文列出的宗伯著作中，有醫部類著作五十九部、醫史著作七部、文學著作及日記類詩集十四部，共計八十種，二百餘卷。其中有重要的醫案類著作《橘窗書影》，矢數道明評其書曰：「處方運用臨機應變，自由轉方加減，是居於首位的

❶（日）淺田宗伯．橘窗書影［M］//大塚敬節，矢數道明編集．近世漢方醫學書集成．東京：株式會社名著出版，一九八三：（一百）七四〇．

❷（日）矢數道明．明治漢方最後の巨頭——栗園淺田宗伯の人と業績［J］//大塚敬節，矢數道明編集．近世漢方醫學書集成［M］．東京：株式會社名著出版，一九八三：（九十五）四十五．

漢方治驗集名著。」❶方書類著作有《勿誤藥室方函》，爲醫方類名著。傷寒類著作有《傷寒雜病辨證》《險症百問》，辨證之陰陽、表裏、虛實、寒熱、真假；《傷寒翼方》《雜病翼方》，詳論治方化裁運用；另有《傷寒論識》《雜病論識》二書，廣徵博引，詳考注解《傷寒論》與《金匱要略》。其醫史著作《皇國名醫傳》，講述歷代醫家的生平，會集諸家醫説，是日本名醫列傳的代表之作；《先哲醫話》一書，輯歷代醫論、醫話，附加評説，折衷精當，爲有影響力的著作。脉學著作《脉法私言》，審氣血先機，辨别疾病進退死生。研究古方用藥的，主要有《古方藥議》等藥學著作，詳述仲景的治方化裁與藥性合和效用。此外，宗伯尚有瘍科、産科、外科、瘟疫等著作存世，并有《栗園存稿》《曠日雜記》等文學著作流傳。

淺田宗伯致力於傷寒研究三十年，在傷寒學術方面造詣精深；作爲注重臨床實際治療的醫家，他還非常重視方劑的研究。宗伯的主要學術思想和特色，可以從其《橘窗書影》卷首「栗園醫訓五十七則」中窺其一斑。如言「以古法爲主，以後世方爲用」「陰陽、表裏、虛實、寒熱爲醫家之心法，臨床萬病，當從此八法精辨」「病乃氣血之變，脉診尤應察氣血之盛衰」等。❷

在《橘窗書影》卷首「栗園醫訓五十七則」中，淺田宗伯還提出了「以古法爲主，以後世方爲用」「傷

❶（日）矢數道明．明治漢方最後の巨頭——栗園淺田宗伯の人と業績[J]//大塚敬節，矢數道明編集．近世漢方醫學書集成[M]．東京：株式會社名著出版，一九八三：（九十五）六十四．

❷（日）淺田宗伯．橘窗書影[M]//大塚敬節，矢數道明編集．近世漢方醫學書集成．東京：株式會社名著出版，一九八三：（一百）三四三—三四六．

寒、雜病，皆可定三陰三陽之病位」兩條醫則。❶ 安井玄叔、三浦宗春在《勿誤藥室方函》「序例」中稱：「先生平日喜古方而不喜新方，愛單方而不愛複方，然有時而新，有時而複，各適其宜耳。」❷可見，宗伯極力推崇以仲景著作爲代表的「古法」，稱張仲景方爲「古方」，終生致力於《傷寒論》《金匱要略》的研究。《古方藥議》即爲宗伯闡釋仲景《傷寒論》《金匱要略》所用藥物的力作。

《古方藥議》書首有日本江户後期杰出醫家、文獻與考據學家森立之所撰「古方藥議序」，其言：「藥有氣味冷熱之性，畏惡相反之情，二者之各有所偏，足以攻疾，猶寇賈輔漢，程周佐吴。能通知此理，以究運用之妙者，千古唯有張仲景氏一人耳。陶隱居稱，惟張仲景一部，最爲衆方之祖。又悉依《本草》，且其善診脉，明氣候，以意消息之耳。」有鑒於此，淺田宗伯「就張師所用之藥，一徵之《本草》，參伍考究，不遺餘力，著爲《古方藥議》一書」，對張仲景醫方的化裁和用藥進行了深入的考辨注釋，功力深厚，富有特色。

二　主要内容

張仲景《傷寒論》《金匱要略》兩書載方三百餘首，用藥二百餘味，組方嚴謹，用藥精當，適於治療

❶（日）淺田宗伯.橘窗書影[M]//大塚敬節，矢數道明編集.近世漢方醫學書集成.東京：株式會社名著出版，一九八三：（一百）三四三—三四四.

❷（日）淺田宗伯.勿誤藥室方函[M]//大塚敬節，矢數道明編集.近世漢方醫學書集成.東京：株式會社名著出版，一九八三：（九十五）十一.

外感内傷疾病。《古方藥議》采録其中百餘味藥物，分爲五卷，辨其藥性，議其功用，以免臨床誤用。

卷一載藥十四味，有桂枝、芍藥、甘草、生薑（附薑汁、薑葉）、乾薑、大棗、麻黄、石膏、大黄、芒硝、朴消、附子、烏頭、天雄。

卷二載藥十六味，即葛根、半夏、黄芩、黄連、杏仁、五味子、細辛、茯苓、厚朴、人參、白术（蒼术）、猪苓、澤瀉、梔子、香豉、枳實。

卷三載藥二十五味，爲柴胡（附前胡）、栝樓實、栝樓根、土瓜根、牡蠣、膠飴（附餳）、桃仁、龍骨、鉛丹、蜀漆、水蛭、虻蟲、䗪蟲、葶藶、白蜜、甘遂、文蛤、桔梗、巴豆、貝母、芫花、大戟、赤石脂、禹餘糧、太一餘糧。

卷四載藥三十三味，即旋復花、代赭石、瓜蒂、赤小豆、知母、粳米、生地黄、乾地黄、阿膠、麥門冬、麻子仁、清酒（附醇酒）、滑石、猪膽（附猪膚、猪膏、猪骨）、苦酒、茵陳、吴茱萸、蘖皮、連軺、生梓白皮、鷄子黄（附鷄子白、鷄屎白、鷄冠、鷄肝）、白粉、葱白、人尿、烏梅、蜀椒、當歸、通草、白頭翁、秦皮、商陸根、海藻、竹葉。

卷五載藥三十八味，有薏苡仁、防己、黄芪、鱉甲、牡丹皮、防風、礬石、川芎、食鹽、戎鹽、獨活、山茱萸、薯蕷、酸棗仁、皂莢、小麥、澤漆、葦莖、蘆根、瓜瓣、橘皮、消石（赤消）、大麥、艾葉（熟艾）、黄土、葵子、蘇葉、紅藍花（新絳、緋棉）、蛇床子、大豆（豆黄卷）、地漿、漿水（清漿水、醋漿水）、薤白、白酒、羊肉（羊膽）、真珠、升麻、射干、竹茹。

以上共收録《傷寒論》《金匱要略》所用藥物一百二十六味，附藥二十一味。卷一至卷四所載八十八藥均源自《傷寒論》，僅比《傷寒論》實際使用藥少幾味；卷五所載三十八味，均取自《金匱要略》。

《古方藥議》對每味藥物的論述，大體分爲「釋品」和「釋性」兩部分。

「釋品」部分，參照、對比中國本草諸書的記載、中日兩國出産的藥物，從藥名、産地、形狀、色澤、氣味等方面，辨别藥物的優劣和實際藥用有效之品種。如卷一桂枝條載：「按《本草》有牡桂、箘桂，原是一物。蓋牡桂即幹皮，所謂肉桂；箘桂即枝皮，所謂桂枝，但以枝幹異名耳。」此條即從名稱方面辨别藥物。又云：「古西舶所來貨，俗呼東京肉桂及交趾肉桂者，殆爲絶品；又有蠻舶載來者，其皮厚色黄，脉理横斜，疑是根皮也。邦産亦是根皮，故稱根皮桂。土産薩州者稍佳，足以補闕。其他諸州生者，并少辛辣，僅供香食耳，不堪入藥。」此條即從産地方面辨别藥物的優劣。此外，宗伯還結合諸家本草之説，提出自己的見解，如：「凡用桂枝，不拘大小，取味辛甘而香氣烈者爲佳；味不辛甘，或澀而淡薄者，并不堪用。」

「釋性」是作者編撰本書的目的所在，也是此書的重點内容。全書先列藥性及主治，再以「議曰」引出作者獨得之見，結合張仲景的方藥組成及藥味加減，闡釋藥品的性味、功能，將方與藥相結合，體現了方中有藥、藥中有方的特色。

仍以卷一桂枝爲例，宗伯述其性味及功效爲「味辛温，利關節，温筋脉，止煩出汗，通目閉，泄奔豚，爲諸藥先聘通使」。議曰：「桂枝味辛温，能上行而發泄，透達氣血，故發解肌表之邪氣也。《論》曰桂枝本爲解肌，可以徵焉。夫桂枝雖能發解肌表，非芍藥、甘草戮之力以和諧表裏，則不能祛其邪氣，於是三物相依戮力，又加生薑、大棗，爲入於口、受於胃之宜，而猶恐其力之難達，更歠熱稀粥以助之，而後翕然奏效矣。」此處論述了桂枝發表解肌的主要功能。亦言：「桂枝又能宣達氣血，爲諸藥嚮導，是以上抵頭項，下及四肢，内散上衝之氣，外治身體之疼痛。故桂枝湯，下後用以散衝逆，霍亂後用以消息其外，胎前用以安胎也。」此處則論述了桂枝宣通氣血、散衝逆、調理内外、安胎等其他功能。

其後，宗伯又結合具體症狀，闡釋了仲景桂枝加桂湯、桂枝去芍藥湯、桂枝甘草湯、桂枝枳實生薑湯、苓桂甘棗湯、苓桂味甘湯、桂枝加附子湯、桂枝附子湯等方對桂枝的加減應用方意，以及桂枝湯與他方組成合方所産生的效用變化，進一步通過仲景方對桂枝的加減，總結其效用，言：「其他《金匱》論虚損十方而用桂枝者七方，其意不止温補，要在宣通與嚮導，可見桂枝者衆藥之長，善散善通，善温善托，表裏上下，莫所不達焉。」最後指出仲景制方的靈活性，云：「是所以張仲景桂枝湯爲《傷寒論》首方，而去加增損，方劑之制，必造端於兹，而論中諸方多出於其變局也。學者能領會此旨，則於桂枝之效用，思過半。」

三　特色與價值

《古方藥議》中的「古方」，指張仲景《傷寒論》和《金匱要略》之方，兩書所用之藥有二百餘種。此書采録其中一百二十六味予以闡述，辨明張仲景的用藥法度，頗具研究和應用價值。

淺田宗伯曾直接向江户時代後期漢醫學家多紀元堅學習，在學術上也繼承了多紀氏的思想精髓，故從編次特點來看，《古方藥議》的編寫體例與多紀元胤《藥雅》一書相仿，且内容不遜於後者。森立之在「古方藥議序」中評價此書「亦具極其精核，則學者以此爲舟楫，其直上長沙之津涯也，不難矣」。

首先，就藥物排列次序而言，歷代本草或依據《神農本草經》上、中、下三品列藥，或按照金、石、草、木、鳥、獸等以類聚相別。淺田宗伯尊張仲景方爲「古方」，其《古方藥議》爲研究《傷寒論》《金匱要略》用藥之書，故他對藥物的排列也依從相關醫方在仲景書中出現的先後次序，以利於臨床應用，且便於在藥物加減時檢閱。

其次，對每味藥物的闡述，分爲「釋品」「釋性」兩項。「釋品」包含藥物的物、土、宜、形、色五個方面；「釋性」先列藥物的氣、味、主、能，再以「議曰」的形式，配合具體的醫方，論述藥物的功用，且僅論其證與方，而不釋其病解、方意。以上内容體現了宗伯在「古方藥議凡例」中提出的學術觀點，即：「本草之學，先認草木蟲石之形質而辨其物品，别寒熱温凉之氣性而審其主療，是爲專務……蓋其旨在用古之方，能不失古人之意。」

《古方藥議》最顯著的特點是以方論藥，將藥物放到具體的方中，以解釋其功能，即如「古方藥議凡例」中所言「以諸方所配合，議其功用」，處處體現出方中有藥、藥中有方的思想。宗伯在此書凡例中言：「《本草》第言治某病而不明其所以主治，醫方第云用某藥而不明其所以當用，是以古今釋方意者，率皆徵之《本草》，就物物論之性味，牽强爲説。殊不知藥之性味，雖一定不易，方之運用，變化始無定也。故有以相輔而用者，有以相制而用者，有以相反相激而用者，亦猶五味相調爲和，五色相糅爲文，故當論其方，而不論其藥也。」森立之「古方藥議序」評價曰：「則在今日學者，可據以考古人用藥之意者，蓋唯有此書。」

此書卷一對甘草藥性功用的論述，其中針對甘草附子湯主治的短氣、梔子甘草豉湯主治的少氣、甘麥大棗湯主治的臟躁，所用爲甘草的和緩之性；四逆湯、調胃承氣湯二方所用爲其緩之性，而非和之性，故甘草唯與生薑、大棗配伍，才有調和之意。桂枝湯、葛根湯、麻黄湯、大小青龍湯、黄連湯、苓桂甘棗湯、苓桂五味甘棗湯、建中湯、麥門冬湯、竹葉石膏湯、麻黄附子細辛湯、烏頭湯等方的配伍，「皆剛柔相濟，以立安内攘外之功，又以消除衆毒，不致偏害」。

再如卷一對乾薑功能的議説：「今推之於仲師諸方，如甘草乾薑湯、乾薑附子湯、四逆湯、茯苓四逆湯、白通湯、白通加猪膽汁湯、理中丸、人參湯、桂枝人參湯、桃花湯、梔子乾薑湯、烏梅丸、九痛丸、大建中湯、附子粳米湯、柏葉湯等，則皆温其裏寒者也；如半夏乾薑散、乾薑人參半夏丸、苓桂术甘湯、小青龍湯、小青龍加石膏湯、厚朴麻黄湯、苓甘薑味辛湯（即苓甘五味薑辛湯）、半夏生薑甘草之瀉心湯（即半夏瀉心湯、生薑瀉心湯、甘草瀉心湯）、黄連湯、乾薑黄連黄芩人參湯、六物黄芩湯、柴胡桂枝乾薑湯等，則皆散其水飲者也。可見，乾薑之爲用，雖寒熱異方，其温中散飲則一也。」

書中通過對仲景醫方的互參、比較、分類，以總結歸納藥物的功能，探求《傷寒論》《金匱要略》的用藥法度和意義。通過對比，宗伯就某些前人的論藥觀點提出異議，如乾薑條載：「孫思邈曰：無生薑則以乾薑代之。以余觀之，仲師之所用乾薑，主吐逆厥冷，或下利清穀，或小便數、遺尿，而生薑但在嘔吐噦、胃中不和、不寒不冷之間，其主治療體，大不同矣。」

關於藥物的配伍，仲景書中雖然没有藥物配伍的直接論述，但其三百餘方中藴含着藥物的配伍運用規律。《古方藥議》尤爲重視藥物的配伍，以《傷寒論》《金匱要略》兩書之方藥互參印證，闡述了組方配伍之後在藥物功用、升降浮沉、作用部位等方面所産生的微妙變化。

例如，闡述單味藥物組成方劑後功用産生的變化。以卷一麻黄條爲例，「釋性」中述曰：「孫思邈曰麻黄止汗通肉，此特以越婢湯言之，非麻黄湯之謂也。蓋配以桂枝者，表證而無汗者也；配以石膏者，無大熱而汗出者也。」體現出「隨其所配而異其用」的内在規律。

又如，闡明一藥與他藥配伍所産生的升降浮沉變化。以卷一甘草條爲例，「釋性」論曰：「又得麻黄散水氣，更添附子，發少陰表寒及氣分水氣；又得桂枝，治叉手冒心，更添龍骨、牡蠣治煩躁；又得乾薑，治煩躁吐逆，更添人參、术，治霍亂吐利；又得芍藥，治脚攣急，更添附子治惡寒；又得大黄治胃反，更添芒硝，治胃氣不和，又更添桃仁、桂枝，治少腹急結，是乃一陰一陽，一寒一温，共配以爲升降浮沉之妙用。」揭示了甘草配伍之後的升降浮沉規律。

再如，闡明一藥與不同之藥配伍後作用於不同的部位。以卷一乾薑條爲例，言：「蓋乾薑得甘草一味，治肺中冷，更添附子，治膈上寒飲；又配甘草、术、人參，治胃上寒；又去人參加茯苓，治腰中冷；又得附子一味，治陰躁，更添甘草，治厥逆。其變化運用之妙，在隊伍之際而至其尤極，則大佐附子、巴豆、大黄之勢，蔚然以奏績。」説明乾薑隨其所配藥物，可以分别治療肺、膈、胃、腰、四肢等全身不同部位的寒證。

《古方藥議》以仲景醫方爲準繩，全面系統、詳細精當地歸納了所選藥物的功能，尤其是澄清了前人的某些誤説。如在桂枝去芍藥湯、桂枝去芍藥加蜀漆龍骨牡蠣湯等方中，對於芍藥之應用，臨證有去之者，注家認爲是避滿，因其性滯，妨礙桂枝迅走之勢，而淺田宗伯認爲此説與《傷寒論》太陰腹滿用桂枝加芍藥湯相背，之所以去芍藥，是「專桂枝之力，以散胸中陷入之虚邪」；又有人稱産後及血虚寒之人不可用芍藥，但宗伯認爲張仲景治虚勞裏急用建中湯，治産後腹痛用枳實芍藥散，故芍藥可「主女人一切疾，并産前後諸疾」，故婦人産後亦可用芍藥。

總之，《古方藥議》全書總體反映出淺田宗伯對於方藥「配合活用之妙，而不一一説其性味」的特色。書中對藥物主治功能的論述，反映了《傷寒論》和《金匱要略》據證制方和隨症加減的用藥規律，對研究張仲景的組方規律和臨床實際運用具有較高的參考價值。

四　版本情況

《古方藥議》爲淺田宗伯研究《傷寒論》《金匱要略》的結晶之作，但成書之後一直未曾刊行，僅以鈔本形式流傳。日本昭和十一年（一九三六），木村長久對《古方藥議》加以訓釋，撰成《和訓古方藥議》并以活字本形式出版。此外，磐瀬直則撰有《古方藥議續録》一書，爲此書的續編之作。❶

《古方藥議》的幾種鈔本，今藏於日本國立國會圖書館、國會圖書館白井文庫、東京國立博物館、東京大學圖書館、東京大學圖書館鶚軒文庫、杏雨書屋、乾乾齋文庫、楂萕書屋、村野文庫等處。一九九三年，松本一男編輯《松本書屋貴書叢刊》，影印收載了《古方藥議》的鈔本之一。

本次影印采用的底本，爲日本國立國會圖書館白井文庫所藏文久三年（一八六三）鈔本。此本藏

---

❶（日）國書研究室．國書總目録［M］．東京：岩波書店，一九七七：（第三卷）五五一．

書號「特1—3432」，五卷五册，四眼裝幀，每册封皮無書名。全書無框廓及界格欄綫，每半葉十行，每行二十字。卷首有文久三年（一八六三）森立之「古方藥議序」和淺田惟常「古方藥議凡例」。書末無跋。每卷正文前有卷次及子目，首葉題署書名、著者。書中以「、」句讀，以「——」標識醫學書名和醫家人名，個别葉面有眉批。

綜上所述，《古方藥議》以張仲景《傷寒論》和《金匱要略》兩書之方相互參合印證，闡釋仲景所用藥物的適應證和禁忌證，從方和藥的主治，到藥與藥的組合、藥物加減之後所産生的主治證變化等。方與藥相結合，以方論藥，没有紛繁的理論闡述，直接面向臨床實際。書中十分重視分析歸納和實際運用，論述嚴謹，直觀明了，有助於理解經方常用藥物的功能效用、加減變通及各類醫方的創制規律，是研究傷寒雜病方藥較爲完備、臨床運用十分便捷的佳作。儘管書中并未涵納仲景醫書中的全部藥物，但其核心和主要藥物已包含在内。學者若能掌握其藴含的規律和思想，必能舉一反三，執簡馭繁，在臨床組方用藥時得心應手。

何慧玲　蕭永芝

特 1
3432

古方藥議序

夫有火食而後有疾病有疾病而後醫藥起焉故五穀五菜者所以養身也五毒五藥者所以治病也藥有氣味冷熱之性畏惡相反之情二者之各有所偏是以攻疾猶欲賈韓漢程周佐吳能通知此理以究運用之妙者千古唯有張仲景氏一人耳陶隱居稱惟張仲景一部最為衆方之祖又悉依本草但其善診脈明氣候以意消息之耳栗園淺田惟常有見于此就張師所用之藥一徵之本草參伍攷究不遺餘力著為古方藥議一書屬者劉柳涯先生有藥雅之

著其論覈其辨精久已為世所推而此書體例一仿之而亦具極其精覈則学者以此為舟揖其直上長沙之津涯也不難矣聞榜窗喜多邨先生亦著有此種之書惜先生致仕已来日放浪于山水之間不復置意於醫事其書存佚不可復問則在今日学者可据以攷古人用藥之意者蓋唯有此書其功不亦偉乎今茲栗園將刊之于其塾中囑序于余〻亦嘗與栗園同其嗜者也遂述是言以為之序文久癸亥七月既望養竹老人森立之

一本七月既望四字作天醫節三字無老人二字

古方藥議凡例

一本草之學先認草木蟲石之形質而辨其物品別寒熱温涼之氣性而審其主療是為專務故每品首釋其品物土宜形色次釋其氣味主能而以諸方所配合議其功用然不議其所以然蓋其旨在用古之方能不失古人之意若夫所以然則非窮理盡性制方之聖則不能臻焉因非余淺膚之所及矣

一古方所用之藥凡二百二十餘種而今採録百餘種者以先辨明其專用藥性使蒙昧之徒議其功

用不致誤治也故不必求備

一藥品之叙次一從本論之方不必金石草木鳥獸類聚區別欲便倉卒檢索也

一本草之書莫古於農經醫方之傳莫先於傷寒金匱而本草第言治某病而不明其所以主治醫方第云用某藥而不明其所以當用是以古今釋方意者率皆徵之本艸就物物論之性味牽強爲說殊不知藥之性味雖一定不易方之運用變化始無定也故有以相輔而用者有以相制而用者有以相反相激而用者亦猶五味相調爲和五色相

糅為文故當論其方而不論其藥也此編專祖述乎傷寒金匱之旨參之乎本草之說以闡發其功用雖未能極其蘊底庶幾不差乎古人用藥之旨趣矣

一論藥近說字釋方近談兵是以論藥性者不免骨突釋方意者動輒失於活變蓋藥之治病有可解者有不可解者方之為用有可測者有不可測者予故至其難解測者則闕疑不論覽者莫責其闕畧也

淺田惟常識此甫識

古方藥議卷一目次

古方藥議

信濃　淺田惟常識此著

桂枝

釋品桂枝即桂之枝也寇宗奭曰桂枝者取枝上皮程若水曰桂枝梗小條非身幹粗厚之處二家之說為得按本草有牡桂箘桂原是一物益牡桂即幹皮所謂肉桂箘桂即枝皮所謂桂枝但以枝幹異名耳凡用桂枝不拘大小取味辛甘而香氣烈者為佳味不辛甘或澀而淡薄者并不堪用如

古西船所來貨俗呼東京肉桂及交趾肉桂者殆為絶品又有蠻船載来者其皮厚色黄脉理横斜疑是根皮也邦產亦皆根皮故稱根皮桂土州薩州者稍佳足以補闕其他諸州生者并少辛辣僅供香食耳不堪入藥

〔釋性〕味辛温利關節温筋脉止煩出汗通月閉泄奔豚為諸藥先聘通使

議曰桂枝味辛温能上行而發泄透達氣血故發解肌表之邪氣也論曰桂枝本為解肌可以徵焉夫桂枝雖能發解肌表匪芍藥甘草戮之力以和諧表裏

則不能祛其邪氣於是三物相依戮力又加生薑大棗為入乎口受于胃之室而猶恐其力之難達更歠熱稀粥以助之而後翕然奏効矣桂枝又能宣達氣血為諸藥嚮導是以上抵頭項下及四肢內散上衝之氣外治身體之疼痛故桂枝湯下後用以散衝逆霍亂後用以消息其外胎前用以安胎也若夫證有輕重緩急之差姑增損去加其一二以制之也於是上衝之勢劇自少腹迫于心下則更倍桂枝如桂枝加桂湯是也但氣滿于胸中則去芍藥如桂枝去芍藥湯是也其胸滿殊甚又手冒心且心下悸則又去

薑棗以單其勢如桂枝甘草湯是也若其不假和緩之味而假推壓之才與擊堅之性則有挫懸痛之力如桂枝枳實生薑湯是也若其臍下悸欲作奔豚或已從少腹上衝胸咽則伍茯苓以降滲之如苓桂甘棗湯及苓桂味甘湯是也故曰加桂治其氣衝又疼痛難以屈伸則加附子其最劇不能自轉側則去芍藥倍桂枝與附子以抵當其病如桂枝加附子湯及桂枝附子湯是也乃知甘草與薑棗必相桂枝達其力而時或有甘艸無薑棗或有生薑無甘棗或有大棗無甘薑又有二物而無一物又併三物而除之之

類各有所主而存焉況又若烏頭葛根附子黄耆膠飴大黄加之於桂枝湯以極其變化或得麻葛石膏而爲發汗或配桃仁地黄而行血分或併苓附而利水氣其活用不一而足矣其他金匱論虚損十方而用桂枝者七方其意不止温補要在宣通與嚮導可見桂枝者衆藥之長善散善通善温善托表裏上下莫所不達爲是所以張仲景桂枝湯爲傷寒論首方而去加增損方劑之制必造端於兹而論中諸方多出于其變局也學者能領會此旨則於桂枝之效用思過半

芍藥

〔釋品〕芍藥猶婥約、花容婥約、故以為名、和名貌好草、亦美好之義、其種類甚多、但宜取單葉不加真者入藥、本邦山城州出之、去粗皮曝乾者、俗名生乾芍藥、其形柔皺、外面淡紅、內肉淡白、氣味全存最良、又刮去外皮蒸乾者、呼為蒸芍藥、即方家所謂白芍藥、正字通云、根曝乾為赤芍、刮去根皮蒸乾為白芍是也、然以刮去根皮者與曝乾者其色異、強分赤白者非也、古方不分赤白、惟芍藥甘草湯作白芍藥是後人之所添、金鑑削之是也、又有

一種山生單辨者謂之山芍藥和名久佐保多先自信州及和州宇陀出外面黑内白色氣味亦異不堪入藥

〔釋性〕味苦平除血痺破堅積止痛緩中散惡血通宣藏擁氣主女人一切疾并産前後諸疾

法古案宣藏間恐脫五字

議曰芍藥味苦平能和血緩中是以邪氣相襲血液不爲之舒長者非芍藥以和緩之則不能袪也夫邪氣之澁滯血液在表則背惡寒身疼痛體不仁有水氣在裏則心下急腹中痛煩滿下利裏急於是假柴胡黄芩之于心下假桂枝甘艸達于腹中假黄耆附

法古案之適也

子人蓡達于身體也大柴胡湯柴胡桂枝湯小建中湯桂枝加芍藥湯桂枝加大黄湯烏頭桂枝湯桂枝加芍藥生薑人蓡新加湯黄耆桂枝五物湯芍藥甘艸附子湯附子湯烏頭湯黄芩湯當歸建中湯當歸芍藥散之所主可以見耳蓋和血液則又能利水逐惡血故真武湯治水氣桂枝茯苓丸芎歸膠艾湯温經湯逐惡血生新血也又至于其運用之妙則破痞之枳實解急之甘艸藉芍藥之力而其功尤捷是以芍藥甘艸湯比之於桂枝加附子湯則其攣急頗劇枳實芍藥散較之於小建中湯則其痛頗急可見急

劑者、不必用多味、所以省大棗甘艸生薑也、若夫桂枝湯、桂枝以發其邪、芍藥以和其血、甘艸薑棗為之助、一舉廓然奏効、而其臨證還有芍藥之去加、而適其空也、註家云去芍藥者以避滿也、其說至于太陰腹滿倍用之者而窮矣、殊不知其去之者、專桂枝之力以散胸中陷入之虛邪也、加桂枝去芍藥加蜀漆牡蠣龍骨湯、亦龍牡藉桂枝之力、以走于胸中、鎮墜驚狂也、柴胡龍骨牡蠣湯之於桂枝亦然、若謂芍藥性滯、妨桂枝迅走之勢、則龍牡之鎮重、去之何、又至其甚者、則謂產後及血虛寒冬人不可用芍藥、仲師既

治虛勞裏急用建中湯治產後腹痛用枳實芍藥散可謂味古經矣

甘草

〔釋品〕和名阿末岐畿内及諸州多植之葉如紫藤葉而短小糙濇根上有横梁梁下之直根乃甘草也然其功不如漢產凡用之取肆呼南京甘艸堅實斷文皮赤肉鮮黄者為良其呼福州肥大輕虛味薄者及邦產陳久而朦氣失者若過闕姑可用

〔釋性〕味甘平解毒温中下气止渴通經脉去咽痛

議曰甘草味甘平即以味為名其能亦在味凡味甘

者以和緩為主故甘字又有甘緩之義莊子云斲輪之法徐則甘而不固可以見焉蓋甘草附子湯之於短氣梔子甘草豉湯之於少氣甘麥大棗湯之於藏躁和緩之最著者也四逆湯用之者恐其僭上也調胃承氣湯用之者恐其速下也二方之為用皆緩也非和也惟與生薑大棗伍則有調和之意桂枝湯葛根湯麻黄湯大小青龍湯越婢湯柴胡湯瀉心湯黄芩湯黄連湯苓桂甘棗湯苓桂五味甘棗湯建中湯麥門冬湯竹葉石膏湯桂去芍麻黄附子細辛湯烏頭湯等之所伍皆剛柔相濟以立安内攘外之功又

以消除衆毒不致偏害其用尤廣而背生薑大棗以單馳則能治咽痛療肺痿即其所專長也又得麻黄散水氣更添附子發少陰表寒及氣分水氣又得桂枝治叉手冒心更添龍骨牡蠣治煩躁又得乾姜治煩躁吐逆更添人蔘朮治霍乱吐利又得芍藥治脚攣急更添附子治悪寒又得大黄治胃反更添芒硝治胃氣不和又更添桃人桂枝治少腹急結是乃一陰一陽一寒一温共配以為升降浮沈之妙用素問云以甘補之以甘瀉之以甘緩之正是之謂也又至其活用之極則配之烏頭附子而其和緩温柔之性

蔚然豹變而贊慓悍酷烈之氣又且遭烏附之毒則反解其毒宛如湯沃雪矣蚘蟲之為病當禁甘而甘草配之粉蜜則復反制其蚘一贊毒一解毒其奇亦如此又如瀉心湯三方惟是半夏甘艸生薑各為主而大異其治柴胡諸湯甘草大棗互出入而迥別其趣則其妙皆在離合之際而存焉後世不解此意每用甘艸不過一二分是以無一人識其功用者嗚呼始自何時成斯陋習决非古法也夫仲師之方用甘草者固夥而特擅其名者甘草湯炙甘艸湯二方耳蓋甘艸湯以主安中氣緩痛也至乎炙甘艸湯證血

氣為邪傷心中惕々然不安脉亦從結轄不能流利安能釀成津液保精神乎於是甘草藉人參地黄阿膠麥門桂枝麻子宣陽滋血之品以逞中氣之奠安其自甘艸非黄中通理厚德載物之品豈能至于此哉空矣有國老之稱而為九土之精也

生薑

〔釋品〕和名之也宇迦擇之以尋常母薑新鮮味極辛氣芳者為良不用大薑其嫩根紫赤色着子薑也一名紫薑俗呼為波之加美波之加美即子母之通稱限之於子薑者非也

〔釋性〕味辛温止嘔吐去痰下気散煩悶開胃氣

議曰生薑味辛温能開胃止嘔比之乾薑其力更優故本經云乾薑生者尤良蓋薑本菜蔬辛而不葷生啖熟食調和無不宜之論語云不徹薑食言可常食也諺曰上牀蘿蔔下牀薑以薑能開胃蘿蔔消食也是以方劑之制亦每假此宣揚開發之力為入于口受于胃之宜而使諸藥相達亦猶暇脩之加桂薑膳羞之用棗栗飴蜜以適其宜矣是故桂枝麻黄柴胡呉茱萸諸湯之於薑棗自有和羮之意不獨専於発散也又推之於他方桂枝証歴發汗身疼痛脉沉遅

若本方加人蔘增生薑使諸藥假其宣達之力也若發汗後腹脹滿者人蔘與生薑併力以佐厚朴半夏則胃氣宣布而腹脹消也其他如炙甘草湯當歸生薑羊肉湯加薑以播宣之則流利無阻也如橘皮湯橘皮竹茹湯則得薑止逆下氣者也如茯苓飲半夏厚朴湯則不翅下氣并逐痰滌飲者也如真武湯則直導水附而宣通水氣者也又半夏瀉心湯証脇下有水氣則更加生薑四兩為君藥以鼓舞胃中不和之氣木鐸衆藥未達之勢也薑之為效於是乎偉矣梔子豉湯黃芩湯當歸四逆湯等加生薑者因其辛

温之力而降嘔逆逐水飲者也小柴胡湯曰喜嘔曰乾嘔曰嘔而其用生薑皆三兩大柴胡湯曰嘔不止曰嘔吐而其用生薑皆五兩是亦隨嘔之劇易而異其宜者也至生薑甘草湯生薑半夏湯大小半夏湯則單刀直入最見專長之能孫思邈稱爲嘔家聖藥良似不誣矣汪昂曰人特知陳皮生薑能止嘔不知亦有發嘔之時以其性上升如胃熱非所宜也是説殆非通論何則仲師之用生薑凡六十有餘方寒熱並通其用尤廣要之在配合如何耳

附薑汁

法古案自餘當作其餘

【釋品】和名之也宇迦乃之保利之留

【釋性】下一切結實衝胸膈惡氣解毒藥自餘破血調中去冷除痰開胃

議曰生薑絞為汁則宣揚開發之力最速故生薑半夏湯用之以開淡飲沮逆氣也

附 薑葉

【釋品】之也宇迦乃波

【釋性】辛溫治食鱠成癥打傷瘀血

議曰薑葉芳通消魚毒開胸腹故仲師食鱠多不消結為癥病者用此品也今庖丁欲去腥臭以薑葉洗

之則速除亦足以見其効矣

乾薑

〔釋品〕俗完曝乾者名麻留乾薑片之乾者名乾生薑俱佳凡色白味極辛美者為良坊間要白淨多用石灰衣之宜洗淨而用又有稱三河乾姜者形瘠小外白內亦如錫色堅實而辛味不厚若遇闕乃可代用

〔釋性〕味辛溫溫中止血主吐瀉腹臟冷心下寒痞腰腎中疼冷夜多小便凡病人虛而冷宜加用之

議曰乾薑味辛溫能溫中散飲較之生薑則其辛熱

之力更為優理中丸云寒者加乾姜可以徵爲今推之於仲師諸方如甘艸乾姜湯乾姜附子湯四逆湯茯苓四逆湯白通湯白通加猪膽汁湯理中丸人參湯桂枝人蔘湯桃花湯梔子乾姜湯烏梅丸九痛丸大建中湯附子粳米湯栢葉湯等則皆温其裏寒者也如半夏乾薑散乾薑人參半夏丸苓薑朮甘湯小青龍湯小青龍加石膏湯厚朴麻黄湯苓甘薑味辛湯半夏生薑甘艸之瀉心湯黄連湯乾薑黄連黄芩人蔘湯六物黄芩湯柴胡桂枝乾薑湯等則皆散其水飲者也可見乾姜之為用雖寒熱異方其温中散

法古案苓薑當作苓桂

飲則一也蓋乾薑得甘艸一味治肺中冷更添附子治膈上寒飲又配甘艸术人蔘治胃上寒又去人蔘加茯苓治腰中冷又得附子一味治陰躁更添甘艸治厥逆其變化運用之妙在隊伍之際而至其尤極則大佐附子巴豆大黄之勢蔚然以奏績如通脉四逆湯備急丸是也孫思邈曰無生姜則以乾姜代之以余觀之仲師之所用乾姜主吐逆厥冷或下利清穀或小便數遺尿而生姜但在嘔吐噦胃中不和不寒不冷之間其主治療體大不同矣李杲曰生則逐寒邪而發表炮則除胃冷而守中抑古方附子但有

生乾之别而乾姜無炮生之分其言恐屬無稽要之二氏之說疎密雖異不能無弊矣

大棗

〔釋品〕和名奈都女以至夏生芽也本邦南北州郡皆有之惟朝鮮之種特佳其形大而長寸餘味甘美而肉厚核長而鋭俗呼朝鮮奈都女即是大棗可入藥市人蓋尋常棗爲蓋大棗但可充果食船來亦間有之形長兩頭尖皮赤細皺滋味薄者下品也

〔釋性〕味甘平安中養脾平胃氣和百藥療心下懸

止嗽

議曰大棗味甘平其性與甘艸相類故每相依以為用蓋百藥氣味不齊而甘能調之也又與生薑相併則為入口受于胃之宣索隱云古食肉用薑棗豈嘗肉桂枝麻黄柴胡諸湯之於薑棗亦皆不過于此意矣或曰充食用則為養充藥物則為攻豈有其宜于食養者反成偏性而中其病之理乎夫大棗固非偏性之物曾晳之於羊棗雖出于嗜好亦供養者也是以後世配火色土味以立養脾之說然大棗離生薑而獨馳則反有潤肺之效故十棗湯葶藶大棗湯皆

以之為主千金有補肺湯亦主此品然則非如大陷胸丸之白蜜白虎湯之粳米特護中焦之設也炙甘草湯亦多用大棗以制心肺丹丹州醫心方載張仲景大棗丸其方用大棗百枚以治卅年咳今雖無所考即古方正與上三方同其轍焉甘麥大棗湯之於藏躁吳茱萸湯之於煩躁亦似安心肺者本經云主治心腹邪氣別録云除煩悶初学記曰甘棗令人不惑乃知二湯之所主在于治心腹邪氣除煩悶令人不惑也惟當歸四逆湯與苓桂甘棗湯則專在中位以和潤之可見大棗之為能不論心肺與脾胃專在

和潤安中也蓋大棗與甘草其性味相類而效用大異者亦有焉是故治心下急鬱々微煩大柴胡湯有大棗無甘艸治四逆欬下利四逆散有甘艸無大棗苓桂甘棗湯與苓桂朮甘湯僅代一味而懸殊其所主是乃醫聖之所以極變化而致妙用也

麻黄

〔釋品〕和名加都禰久佐一名阿末奈出讃州今本邦不產藥舗以伊奴止久佐充麻黄非也伊奴止久佐河旁沙州上最多其莖柔薄頗似接續艸長及五尺以上其根色黒不似麻黄根長大黄赤色

恐是木賊之一種然朱震亨李時珍言木賊與麻黄同功学者乃可試已漢產今所賫來皆陳久未見新者而氣味濇薟咀之舌上覺麻痺服之有驗發之功可謂奇矣按仲景方有先煮麻黄去上沫語是係漢土新採者陶隱居曰今出青州彭城滎陽中牟者為勝色青而多沫又曰先煮一兩沸去上沫沫令人煩正是義也如本邦所用皆舶賫经年故不去上沫而可蘇頌曰古方湯用麻黄皆先煮去沫然後内諸藥今用丸散者皆不答也可見漢土不必悉去上沫也

〔釋性〕味苦温發表出汗去邪熱氣止欬逆上氣除寒熱療傷寒解肌第一

議曰麻黄味苦温能外發而祛寒逐水遍徹皮毛而發汗故風寒束外而無汗則戮力於桂枝辛温專走于表而發之於汗麻黄湯之類是也夫麻黄得桂枝而表發之勢最鋭者亦猶大黄之於芒硝耳麻黄又能疏氣壅故熱壅不解輸液於皮毛爲汗出者戮力於石膏清肅能疏瀉其欝邪以止汗麻杏甘石湯越婢湯之類是也孫思邈曰麻黄止汗通肉此特以越婢湯言之非麻黄湯之謂也蓋配以桂枝者表証而

無汗者也配以石膏者無大熱而汗出者也可見隨其所配而異其用也又雖麻石併行加以桂枝則反成激行之勢而逐達之力更為優如大青龍湯桂枝二越婢一湯是也蓋此二湯其妙尤在桂麻石膏温凉配合處譬猶乾鍋赤裂潤自何來但加以水則欝蒸沛然而氣化四達為雲蒸雨化之散矣又邪屬少陰而猶在表者固非桂枝石膏激發之所宜於是配附子細辛热散寒之品以扶發陽之力為微汗麻黄附子細辛湯及甘草湯是也夫麻黄者表藥之俊逸者也故不特驅邪亦能逐水是以併甘草則行水

於表、合石膏大棗、則升越風水、如麻黃、甘草湯越婢湯是也、若水飲在心下、則伍乾薑細辛、裏散表發一舉而兩解矣、若水飲在氣分、沉滯心下如盤、則與附子細辛桂枝生薑、併力排散之小青龍湯、桂薑棗艸黃辛附湯之所主是也、又假醇酒以治癉、癉豈麻黃之所能治乎、是本水氣瀦血中之所使、故醇酒導之以達血中也、又與連軺赤小豆、俱治身目爲黃、其意不過于疏散瘀熱濕氣之留著也、又與杏人同治喘喘本由水飲故也、古人亦得麻黃有達表之勢、金匱云其人形腫者加杏人主之、其証應內麻黃、以其人

石膏 含水硫酸石灰
纖維石膏 fibrous gypsum 理石
硬石膏 Anhydrite 長石

遂痒故不内之據此則麻黄與杏人其力稍近而唯有緊慢之別耳蓋麻黄之為物與桂枝相併而發汗與石膏相激而止汗與附子烏頭細辛有所搏迫與牡蠣蜀漆有所并馳雖隊伍合從各異其用然其所主必水必邪要之皆出于馳逐而其效歸于發陽矣僧繼洪曰中牟有麻黄之地冬不積雪為泄内陽也金匱云麻黄發其陽乃知發陽二字正為千古不易之訓

石膏

〔釋品〕和名之良以之本邦出豊肥尾奥等州其狀

與漢產同按本草石膏有軟硬二種今海船載来者其塊作層似壓扁米糕形細文短密如束針鬆軟易碎此乃軟石膏堪用硬石膏即今長石和名保佐都伊之諸州山中有之然今不取用無知功效何如

【釋性】味辛寒主中風寒熱口乾舌焦止大渴引飲中暑潮熱牙痛為發斑發疹之要品

議曰石膏味辛寒能清熱而其用有二道何謂二道内外是也如白虎湯白虎加人蔘湯白虎加桂枝湯竹葉石膏湯竹皮大丸風引湯則藉知母麥門竹葉

竹茹大黄以清肅内熱也是以白虎湯曰裏有熱又曰熱結在裏加人蔘湯曰中暍加桂枝湯曰温瘧風引湯曰熱癱癇以標其熱候也蓋石膏性寒而體重雖實熱者恐服之以傷胃也於是配以人蔘甘艸粳米小麥之類且研碎綿裹使其不侵胃也若夫大青龍湯桂枝二越婢一湯越婢湯越婢加半夏湯厚朴麻黄湯麻杏甘石湯文蛤湯木防已湯則得桂枝麻黄散外熱逐水氣是乃合表裏相反之性以宣發内鬱而激走于外之勢者也又與熱藥相配則不啻散外熱亦併驅濕痺故千金越婢湯有朮附以治風毒

癱瘓ハ偏枯

脚氣也。按石膏與麻黄相配，則能止汗，猶熱沸之湯投之以數勺之水，則忽止其沸也。孫思邈曰麻黄止汗通肉，是非特麻黄之力，并石膏故也。然而麻石又得桂枝，則反為大發汗之劑，亦猶墨雲欝勃，陰氣凝不散，震之以雷火，則沛然作降雨也。陶弘景曰石膏解肌發汗，是亦非石膏之力，有桂麻故爾，乃知麻杏甘石與越婢，以無大熱為主，而至乎大青龍桂枝二越婢一，則反用之於大熱，白虎亘于表裏，而表証未解者禁之，背悪寒者反用之之類，正足見仲師運用之妙矣。今用石膏者不解斯義，遇一熱症，不論胃之

強弱與熱之内外漫然施之其害反甚於誤下豈可不慎爲哉

大黄

〔釋品〕和名於保之我邦諸州有之其葉似土大黄而濶大近根下葉最甚莖高六七尺其根巨如桃而有紫地錦文然其性穩不甚瀉只之船渡者功効頗劣或曰收藏經久則瀉泄駿快推陳去熱幾同漢產未試今以漢產文理如錦質色深紫味至苦濇塊大有穿眼俗呼繫大黄又呼唐大黄者爲最

〔釋性〕味苦寒、蕩滌腸胃、推陳致新、利大小便、下瘀血、破癥瘕、瀉實熱、

議曰大黄味苦寒、能蕩滌結實、本經云推陳致新、可謂一言以蔽之矣、後世因此而有將軍之名、夫大黄者百藥之老將、攻毒之干莫也、苟欲蕩滌病邪者、必不得之則不能奏其績、故芒硝賴此以下宿食燥屎、黄芩黄連賴此以瀉氣痞、治咯血、桃人土瓜根賴此以下新瘀血、水蛭蝱蟲賴此以下舊瘀血、甘遂阿膠賴此以下水與血、瓜子牡丹賴此以下腸膿、茵蔯梔子賴此以去發黄、各隨所伍而運用無窮、寒熱水氣

關爲四肢百骸臻爲是以仲師治傷寒用大黃者尤
夥今以其證論之則得枳實厚朴治胸腹滿併梔子
黃連除心中煩熱配柴胡黃芩驅胸脇苦滿及心下
痞鞕伍甘遂芒硝開結胸交附子細辛排脇下偏痛
隨防已葶藶逐腸間水氣和甘艸芒硝和胃氣之類
凡大黃之所之痞必開閉必通結必散痛必和鞕也
濡也實也滿也莫遠而不逮爲莫適而不到爲如大
陷胸湯大小承氣湯厚朴三物湯厚朴七物湯調胃
承氣湯大黃甘草湯大黃硝石湯梔子大黃湯茵蔯
蒿湯瀉心湯大柴胡湯柴胡龍骨牡蠣湯等則用之

法吉案小承氣湯成無己注本大黃下脱酒洗字今閲宋本三承氣皆有酒洗文也

於熱者也如桂枝加大黃湯大黃附子湯備急圓等則用之於寒者也如芩甘薑味辛夏人黃湯厚朴大黃湯已椒歷黃丸等則用之於水飲者也大黃之為用廣矣大矣然世論大黃者徒以酒洗與否別攻下之制于嗟大黃固駃藥豈一酒洗之所能制乎哉程知曰調胃承氣大黃用酒浸大承氣用酒洗皆為芒消之鹹寒而以酒制之是說亦至小承氣湯而窮矣又至其甚者則畏大黃如蛇蝎間有終身不手觸者許叔微曰形有寒邪雖嬰孩亦可服金液臟有熱毒雖老羸亦可服大黃昔者姚僧垣用以治梁元帝疾

輒此意耳後人盍察諸又世之執古方者狎老將侮于莫動謂毒藥不害人焉知利刀少觸其害甚於鉾刀夫仲師用大黄攻病必隨人之虚實而施非一概而用也余故併論以攻世之謬弊云

芒硝

芒硝
含水硫酸曹達
glauber salt.
精製芒硝 sodium sulphate, purified

〔釋品〕芒硝即鍊成之名也其苗初生鹵地狀如未鹽其色黄白名曰朴硝釆之煎鍊生細芒如毛者即芒消也又有馬牙消英消風化消皆因形異而名不同耳邦産形如消石白色其能與舶來無別

法古案芒消曬風化成粉機謂之風化消

古云出太宰今生淡州及豆州鹹鹵之地

〔釋性〕味辛苦大寒、主五藏積聚久熱胃閉除邪氣、
破留血利大小便、

議曰、芒消味鹹寒、能爽堅去實、故大陷胸湯、大承氣湯、調胃承氣湯、桃核承氣湯等皆用此品以奏破結蕩滌之效矣、蓋芒消生於鹵為水之精、是以主潤燥軟堅、而不主蕩滌、大黃蕩滌走而不守、故二藥相須、去燥屎挫熱實也、若熱結不至堅者、用枳實大黃而不及芒硝、但胃中不和而不至腹滿者、單用芒硝而不假枳朴、三承氣湯之於芒硝去加、亦足以見其功用矣、若夫水飲停蓄血氣不行、面為之黧黑、則又與

茯苓相伍以行停水潤血燥如木防已去石膏加茯苓芒消湯之所主是也蓋此證以水飲已久病勢尚反復使人參鼓舞胃氣消與苓相導而利之者也又如柴胡加芒消湯治傷寒柴胡証誤下後反利尚潮熱此以其已有所去不行大黄而單用芒消從其所去而誘滌之且使人參甘草維持中氣以不陷于陽明乃知芒消推蕩逐下非所長但以有破結軟堅之性大黄枳實甘遂葶藶時藉其力以為峻下之用也後世不辨此義不畏大黄而畏芒消何其相戾之甚耶

法吉案及土皆即與土俱之義

法吉曰消名義大誤可刪時珍曰此物見水即消又能消化諸物故謂之消今此據之而者唯取後說非是宜从李氏之前說也

朴消

〔釋品〕詳于芒硝下今船来及土皆塊來故薬鋪呼為灰様芒消

〔釋性〕味苦寒除寒熱邪氣逐積聚結固能消化諸物故謂之消

議曰朴消即芒消之苗也朴者不煎煉之義猶言馬未調煉者為朴馬也故比之於煎煉者其力更緊是以仲師食鱠在心胸間不化者用之要其逐結速下也本經云逐六腑積聚結固留癖亦同音而方下云無朴消以芒硝代之可見其性同而功用不相遠矣

惟以別錄一名曰消石朴後世誤用消石消石火硝也陶氏所謂燒之紫青煙起者其性自異不可混焉

附子

〔釋品〕附子苗和名止利迦布止春生苗其葉似茺蔚而滑澤其花碧瓣長苞類僧鞋黃蘂圓簇如桑椹實成小莢內有黑子近道及人家所生附子至小不堪入藥若移植奧州及蝦夷種而加糞則附子肥大其狀與漢產同須采得鹽水浸以紫灰裹之數易使乾以入藥漢產亦皆以鹽水製者用時宜水浸去鹽味而剉矣按博物志云烏頭附子天

雄一物也、廣雅云、奚毒附子也、一年為側子、二年為烏喙、三年為附子、四年為烏頭、五年為天雄、據此説、則初種之年、母根之傍小出者名側子、至翌年稍長有兩岐、如烏口者名烏喙、又其翌年如芋卵者名附子、至四年如烏之頭者名烏頭、四年後獨生長二三寸無子者名天雄也、果然則當年之烏頭即去年之附子、當年之附子即來年之烏頭、側子與天雄、則雲仍血脉相承、其氣味功效唯有老壯厚薄之分耳、

〔釋性〕味辛温、温中、逐寒、補虚、散壅、堅肌骨、治厥逆、

為百藥長

議曰附子味辛溫能回陽散寒袪痛以為陰證之主藥今稽仲師之所用其效凡三焉一則主疼痛一則主厥冷一則主惡寒如桂枝加附子湯桂枝芍藥知母湯桂枝附子湯朮附湯甘艸附子湯附子湯真武湯薏苡附子湯薏苡附子敗醬散屬焉則皆主疼痛者也而因其痛之劇易而有附子之增減矣如乾薑附子湯四逆湯通脉四逆湯茯苓四逆湯白通湯白通加猪膽汁湯附子粳米湯八味丸屬焉則皆主厥冷者也而因其證之輕重與其人之強羸而亦有分量之多寡矣如桂枝去芍藥加

附子湯芍藥甘草附子湯則皆主惡寒者也而亦復因其證之緩急而有服法之別矣蓋附子得乾薑能溫裏寒（按論中以生附配乾薑以熟附配生姜亦有微旨）又得桂枝朮伏苓能利水止疼痛緩屈伸雖如二三其所之然要之陰寒之氣內之腹痛嘔吐下利清穀外之四肢沉重疼痛皆得附子而溫和惟為彼戮力為此所誘以差其所之耳又有寒涼相合以治冷熱錯雜之証者如麻黃附子細辛湯麻黃附子甘草湯桂枝去芍藥加麻黃附子細辛湯（越婢加朮附湯屬烏）附子瀉心湯大黃附子湯烏梅丸是也其妙在相反用而斬關奪將之勢殊為

甚矣夫附子雖雄悍大毒之品至乎回陽氣於垂脱之際奏奇效於瞬息之間殆非諸藥所敢當故仲師救三陰之方多用之後世亦倣之以制參附薑附等之劑固非禁藥也朱震亨徒以為行經之藥曰用作補劑多致殺人惡知熱之有毒者速而易見寒之有毒者緩而難察也凡若輩未足與語附子之效用矣

法古曰凡若凡弱也

烏頭

〔釋品〕詳于附子條按烏頭有兩種出彰明者即附子之母謂之川烏頭一種野生於他處者謂之草烏頭川烏海舶不載來須取人家所種附子之母

榜窓先生曰烏頭湯特稱川烏頭而此方治脚氣疼痛脚氣名出于晋以後則或後人所加入

用之今奧州南部津輕松前多出之最為上品
〔釋性〕味辛溫除寒溼痺破積聚消胸上痰冷食不下心腹冷疾臍間痛肩胛痛不可俛仰
議曰烏頭味辛溫氣峻烈能以毒勝毒故寒疝盤結疞痛及歷節脚氣疼痛不可屈伸者非此不能除也
大烏頭煎烏頭桂枝湯烏頭湯等之所主可以見矣
赤石脂丸之於心痛赤丸之於寒氣厥逆亦不過于此義烏頭桂枝湯云灸刺諸藥不能治者可謂烏頭之良贊矣蓋烏頭素至毒不無所釀制故仲師諸方每以蜜煎或以蜜丸即甘以緩之之義剛柔相得以

法古曰喻俗食字

適宜也後人不釋(解)此意單以水浸用或炮入藥中是以瞑眩之甚不啻如醉狀殆將亡其正蘇秦曰猶噎鳥喙而滿其腹也雖譬喻足以為法律矣

天雄

〔釋品〕詳于附子條

〔釋性〕味辛溫強筋骨長陰氣補冷氣虛損

議曰天雄味辛溫其性與附子烏頭不相遠是以本經別錄所載主治亦與二物略相近惟金匱天雄散全為陰虛失精設日華子曰助陽道暖水藏朱震亨以為下部之佐益取義於茲乎雖然真陰虧損亡血

失精者恐非其任矣

法古居士　森約之呈礼讐比

特 1
3432

特1
3432

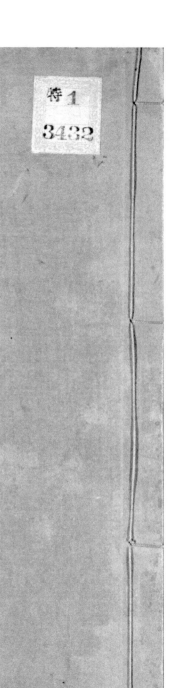

古方藥議卷二目次

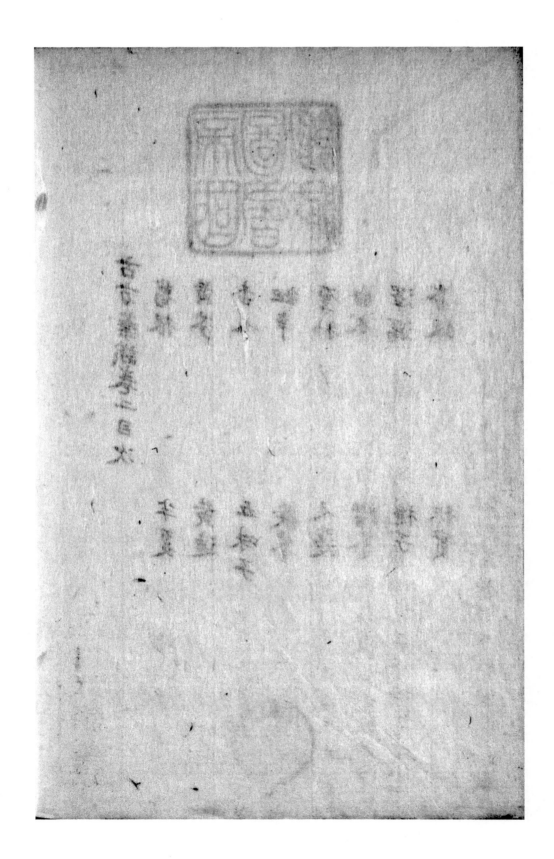

古方藥議

信濃　淺田惟常識此著

葛根

釋品　和名久須所在有之春生苗引藤蔓長二三丈葉似鵲豆而大有毛七月開花紅紫色似荳花累々相綴花後結莢其形如黄豆莢亦有毛根長大如肱臂外紫内白堀采日乾者藥舖呼生乾葛根其色淡褐入藥為勝水漬晒乾者呼晒葛根色白氣味薄此為次

釋性　味甘平主大熱解肌開腠理生津液舒筋脉

議曰葛根味甘平能解肌熱而生津液滋筋脉而舒牽引是以項背牽引强急几々然者桂枝湯方中加葛根以治之若脉緊無汗者更加麻黄以発之葛根湯是也此方又治無汗而小便反少氣上衝胸口噤不得語欲作剛痓是雖因麻黄之有無而異其輕重葛根之為用則一也蓋桂枝麻黄葛根均解肌達表之藥而細論之則桂枝麻黄皆辛温葛根特甘凉兼滋津之休故項背强者固非二藥之的對因以葛根一味參其間則一擧而兩全矣又如葛根黄芩黄連湯葛根不假辛温之発而佐苦寒之清以凉解表裡

之熱則喘自除而利自止脉隨舒而表隨解是為制
方之妙矣蓋葛根性軽清体厚重軽可解肌重可和
裡是以剛痓及二陽合病不論有汗無汗下利不利
皆可用與麻黄專於表者不同也於是後世漫認為
陽明経薬曰未入陽明者不可服夫傷寒論葛根諸
方皆為太陽設曾不見陽明篇載之者要之桂麻葛
根均是太陽之薬而其効雖略相近各以其能不同
其任乃取其所不同或合之或離之以致活用耳又
按主產後中風竹葉湯葛根附子相配以制頭痛発
熱頭項強証可見葛根兼滋津之体故與熱薬相伍

法古曰後世以葛根為
陽明経薬者即素問三
陰三陽之義故仲景太
陽病熱甚者謂之陽明
故為其陽明経薬者
未必与仲師所用相反皇
国学者多以為元明人
以葛根為仲景陽明病
薬大誤彼造引經報使
者亦是不凡之英毅冥以
胃實腹痛用葛根乎

無礙矣、

按後世方書有生葛生葛汁乾葛々粉等之目其生葛及汁味苦澁涼降故能解酧熱止煩渴開中風口噤葛粉即甘寒亦去煩熱利大小便止渴以之於葛根則其体輕清力亦泛猶天花粉与栝蔞根之別若會之則當通用、

半夏

[釋品] 和名迦良須比之也久、二月生苗一莖或二三莖長三五寸莖端三葉如慈姑葉花頗似天南星而狭長一種大半夏生山中其根最肥大形似

天南星故俗呼天南半夏是即青州半夏而未出市中今貨賣者皆圓小即蘊順所謂羊眼半夏是也須擇肉白不腐者

釋性 味辛平下氣開胃消痰涎止呕吐主欬逆喉咽腫痛

議曰半夏味辛平其功大要有四焉一則主呕吐如葛根加半夏湯大小半夏湯大小柴胡湯三瀉心湯黄芩加半夏生姜湯六物黄芩湯半夏乾姜人參丸半夏乾姜散附子粳米湯是也一則主痰飲如小青龍湯越婢加半夏湯厚朴麻黄湯苓甘姜味辛夏湯

半夏麻黃丸栝蔞薤白半夏湯小陷胸湯甘遂半夏湯麥門冬湯半夏厚朴湯是也一則主腹脹逆滿如厚朴生姜半夏甘草人參湯溫經湯是也一則主咽喉腫痛如半夏散及湯苦酒湯是也盖半夏與生姜皆治呕其功大相近但無水而呕者生姜之主也有水飲而呕者半夏之主也要之半夏性涎滑而食辛能通氣道而去水故清熱祛邪之劑散結下氣之方伍之以利阻滯之氣蠲水飲之上迫則翕然奏効金匱云內半夏以去其水李東壁曰半夏利竅可以徵焉古人曰柴胡湯中用之雖爲止呕亦助柴胡黄芩

主往来寒熱、又曰往来寒熱在表裡之中用此有各半之意故名半夏配合之際蓋亦不為無此理矣靈樞邪客篇云治人目不瞑、飲以半夏湯決瀆壅塞經絡大通陰陽得和、肘后救卒死方半夏末如大豆許吹鼻中亦足以見半夏之功矣

黄芩

釋品 和名比々良岐、一名波比之波、今通名漢産為優俗呼為唐黄芩、其色黄黒、味苦、北芩亦来俗呼朝鮮黄芩、色鮮黄多脂味苦、此為次、宿芩乃舊芩多中空、即方書所謂片芩、故又有腐腸妬婦諸

名子芩乃新根細實而堅謂之條芩㹠尾芩鼠尾芩此唯以新舊分名耳本邦古黃芩未詳今移植韓種所在有之苗長二三尺葉似千屈菜而兩々相値夏莖端開紫花可愛觀其根呼為真黃芩之時可以代用

【釋性】味苦辛主諸熱黃疸洩痢利小腸破壅氣

議曰黃芩味苦寒能清解裡熱論曰傷寒脈遲六七日而反與黃芩湯徹其熱是也以其能徹熱常與柴胡黃連為友而又至單騎驅邪則殆非柴連之所及故楊士瀛曰柴胡退熱不及黃芩蓋黃芩味苦々能推物是以有開心痞利腸胃以治下利之効如柴胡

則徒治邪在軀殼之界者、是以邪在表裡之間、散漫不解、則藉黄芩以爲援兵、如大小柴胡湯是也、而柴胡桂枝湯柴胡桂枝乾姜湯柴胡去半夏加括蔞湯柴胡龍骨牡蠣湯等、配諸姜桂之辛、伍諸蔞栝之潤、合諸龍牡之濇、表發裡解、兩無相礙、若夫表邪入裡不能爲結実、及驅胃中之水穀下奔、則不唯桂枝不中與、又非柴胡之所宜、特在徹其熱、以制下利、乃所以有黄芩湯之設也、若表証未解而下利乎、假葛根以清解表裡、所以有葛根黄連黄芩湯之設也、若寒格更逆而下利乎、假乾姜以温裡寒、所以有乾姜黄連黃芩人參湯之設也如五瀉心湯則急於瀉熱結故不假勢於葛根柴胡而取力於半夏大黃以縱芩連之効也又如黃連阿膠湯芩蓮並配以瀉上焦之熱亦猶烏梅丸方中蘗連相伍而治腸熱耳其他黃土湯當歸散方中用之者黃芩亦能制血熱故也東壁李氏曰予年二十時因感冒欬嗽既久且犯戒遂病骨蒸發熱膚如火燎每日吐痰盌許暑月煩渴寢食幾廢六脉浮洪遍服柴胡麦門冬荊瀝諸藥月餘益劇皆以為必死矣先君偶思李東垣治肺熱如火燎煩躁引飲而晝盛者氣分熱也宜一味黃芩湯以

瀉肺経氣分之火、遂按方用片芩一両、水二鍾煎一鍾頓服、次日身熱盡退、而痰嗽皆愈、乃可以徵黄芩徹熱之效矣、

黄連

【釋品】和名加久末久佐、本邦所産極多、而其種類亦不一、有若菊葉、若芹葉、或大葉、或細葉、或蔓生葉如五加葉者、蓋此品見漢商毎年来長崎購得而帰、則西土之所出較少、却資助於此邦耳、今以加州出者為上、奥州羽州為次、丹州若州江州為下、其根肥大緊実、而黄色鮮明、或連珠、或如鷹雞

爪形者良緊小赤可用其色淺而輕虛或帶青色
或黃黑者雖形肥大不堪用

【釋性】味苦寒主熱氣腸澼腹痛下痢煩躁止血療
口瘡

議曰黃連味苦寒能瀉熱治下利其功與黃芩根近故每相伍以奏績如葛根黃芩黃連湯瀉心湯附子瀉心湯半夏瀉心湯甘草瀉心湯生姜瀉心湯黃連阿膠湯乾姜黃連黃芩人蔘湯白頭翁湯是也宜相參以觀其主治為益黃連性滯守而不走是以邪熱結心胸間及中下二焦而為煩為痞為懸為利者黃連能瀉之與黃芩治邪熱專在裡分散漫為患者自

不同也、是以小陷胸湯治邪熱與痰飲相挾在心下為痞者、黃連湯治胸中有熱胃中有邪氣腹中痛欲嘔吐者、烏梅丸治蚘厥者、皆特用黃連、而不假黃芩之力、可見一則寒熱并行不礙、一則陰寒除中所嚴忌各有所長而異矣、又後世有黃連治濕熱說、按如本經治目痛眥傷陰中腫痛、別錄治口瘡、日華子治瘡疥皆似屬濕熱証、而張氏治狐惑用甘草瀉心湯治浸淫瘡用黃連粉、其旨亦甚近矣、

杏人

釋品 和名加良毛々、俗呼阿牟須即杏子之讀音、

山林及家園皆有之、信州最多、其仁比桃仁、小而短、比梅人稍長而無尖、凡選之以楕圓而不扁者為好、

釋性 味甘温、下气、解肌、散結、潤燥、主欬逆上氣、殺狗毒、

議曰、杏人味甘温、能下气散結、故有解肌治喘之效、是以仲師発表有桂枝麻黄各半湯、桂枝二麻黄一湯、麻黄湯、治喘有桂枝加厚朴杏人湯、麻杏甘石湯、厚朴麻黄湯也、茯苓甘草五味乾姜半夏杏人湯云、其人形腫者加杏仁主之、其証應内麻黄、以其人遂

痺故不內之因是觀之麻黃與杏人唯有緊慢之别而其效不特喘欬也蓋杏人質膩潤氣薄而味厚雖解肌治喘不若麻黃辛溫輕虛其勢峻發者故外邪閉塞疼痛喘欬甚者主以大青龍湯麻黃杏人甘草石膏湯麻黃杏仁薏苡甘草湯麻黃加术湯麻黃杏人相併以奏效矣若在下後或發汗後邪氣輕喘咳亦微者但用杏人而不用麻黃桂枝加厚朴杏仁湯苓甘味姜夏仁湯之所主是也若夫大陷胸丸走馬湯麻人丸之於杏人則或佐巴豆甘遂以利心肺或伍大黃麻人以滑腸胃去其病者也可見杏人亦因

其所佐而表裡上下異效用也後人不解此義漫謂
生用潤上焦以利肺熬黑作脂走下焦以滑腸杏人
因有陞降開達之性豈待修治而易其特操者乎哉

五味子

【釋品】和名佐祢加都良其顆小而赤是即南五味
不堪用又有未都布佐者其苗葉花実似北五味
氣味亦相近蓋西土所謂北者乃指朝鮮而言今
觀朝鮮來者肥大黑色皮皺起經久滋潤有白醭
塩霜一重五味全具其種移栽在官園及花肆春
生苗赤莖長丈餘須以架引之葉似杏而大三四

月開白花類小蓮花狀七月成實叢生莖端大如蘡子生青熟赤收貯成黑色今以此為絶品

釋性 味酸温主欬逆上氣止渴除煩熱

議曰五味子味酸温主滋潤治欬逆故張氏方中每與麻黄桂枝細辛相配以奏績小青龍湯及加石膏湯射干麻黄湯厚朴麻黄湯茯苓桂枝甘草五味子湯等之所主可以見矣甄權曰下氣金匱云與苓桂五味甘草湯治其氣衝夫五味子能下氣者何蓋欬喘之為証因表邪與心下有水氣則其勢相射不得不為氣逆苟為氣逆則多唾口燥上焦津液為之耗

損於是姜桂細辛ゝ熱之藥伍之不以滋潤則恐不能祛水邪而滋津液也是以潤燥二物相併而氣逆可下矣水邪可祛矣是古方不即不離之妙用也先輩不解斯義徒以五味子為歛肺之藥或泥本經強陰益精之語而為補腎之藥遂至於八味丸方中加此品可謂妄矣

細辛

釋品　和名比岐乃比太伊久佐東西諸郡并出之根極細而柔軟黄白色味極辛嚼之習々有椒味藥鋪呼為真細辛其根苗色味與漢産無異又有

呼迦牟阿於伊者自江州出故名迩江細辛葉如
馬蹄根似細辛而粗黃白色味亦辛甘少臭即是
本草所謂杜衡也急時可代用博物志云杜衡亂
細辛當以根苗辨之

釋性 味辛溫主欬逆溫中下氣破痰利水道開胸
中治汗不出血不行

議曰細辛其根纖細其味辛溫此其所謂以氣淂名而辛
溫之氣能疎散風邪驅逐寒氣無微不入無処不到
也今審其功用凡三道本経云主欬逆別錄云溫中
下氣是也乃徵之於古方細辛與五味子乾姜並馳

則能散欬逆之氣乾姜亦辛温其功與細辛相似故
金匱曰衝氣復発者以細辛乾姜為熱藥也蓋半夏
性燥熱能為収斂五味子味酸温能主滋潤與乾
姜細辛専於発揚者相反夫相反則其勢必相
激以蓓蓰其力奏匪常之效矣故乾姜淂半夏止呕
細辛得半夏五味愈欬於是有発熱欬逆則併之於
桂麻所以有小青龍之方也無熱欬逆則配之於杏
味所以有苓甘姜味辛夏仁之剤也按別録曰利水
道杜文燮曰予嘗用之以治水道何哉不知諸辛入
肺々氣頼辛以通暢則滲下之官淂令所以能利水

道也然則小青龍湯桂枝去芍藥加麻黄附子細辛湯之於細辛不唯徐欬散寒亦有利水之意而存焉又觀本經云細辛主治頭痛腦動風湿痹痛陶弘景曰含之去口臭則是上達之性不特散寒又能驅熱而発之要之細辛雖辛温用涉于陰陽而其功尤廣矣是以配之於桂枝當歸以治手足寒脉微欲絶合之於麻黄附子以治少陰表熱佐之於烏梅蜀椒安蚘厥伍之於烏頭茯苓温疝厥併之於附子大黄温下寒厥如當歸四逆湯麻黄附子細辛湯烏梅丸亦丸大黄附子湯是也是猶乾姜之配附子合巴豆以

遅其勢矣蓋乾姜其性実而重細辛其氣虛而軽雖相似其質自異学者能量其性審其氣以觀方之所主治則藥之能事畢矣

茯苓

釋品 和名末都保止本邦所在有之西州最多松樹下附根或離根而生無苗葉花実作塊如拳大者至数斤其抱松根者名伏神々中木曰神木後世各有所用而古方唯用苓耳凡擇茯苓刮去黒皮而色白堅実者為良即方家所謂白茯苓是也雖赤者重実可用嘗檢方中不言赤白而後世医

家分之以異主治蓋據陶弘景始言赤瀉白補也張元素曰上古無此説可謂卓見矣

釋性 味甘平主胸脇逆氣恐悸心下結痛煩滿利小便止消渇開胃止瀉

議曰茯苓味甘平能導氣行水故常與朮為友猶禹與益出入相友守望相扶而致其績矣然背朮而独行則無顯才而有隱德其效後與人参髣髴矣孫思邈曰無蔓則以茯苓代之蓋以氣性相近也後世因是有茯苓補心氣説今徵諸古方未嘗見其意夫茯苓之所主曰心下悸曰心煩不得眠曰発汗若下之

煩躁是其為証胃液不和水湿不行之所為固非正
氣受傷者也是以用茯苓利水道則湿去液和而漿
々然者擾々乎者自止亦猶人參和胃液而心下痞
鞕自融也本論明論斯義曰傷寒厥而心下悸者宜
先治水當服茯苓甘草湯却治其厥不爾水漬入胃
必作利也又少陰病六七日水熱相搏于心胸間上
攻以為欬逆呃渴下攻以為下利心中因是煩擾不
安眠者與猪苓湯治之其意與茯苓甘草湯祗同其
他苓桂朮甘之類五苓之屬茯苓飲之制皆不過于
淡滲疎利令病從膀胱漸去也蓋本論用茯苓以壯

胃陽者、附子真武腎氣諸湯皆是、而其量數之尤多者、莫茯苓四逆湯若焉、是其証、陽氣虛、中焦寒、津液不行、溢水煩滿、殆將至傾頽、當此時莫附子之温雖能回陽散寒、非藉苓之滲湛、則不能肆其力也、苓之為効、於是乎偉矣、豈可以無顯才而輕視哉、

厚朴

【釋品】和名保宇乃岐、是本草所謂浮爛羅勒、即商州厚朴也、又有一種出薩州川邉及也久島者、其樹高數丈、径一二尺、春生葉如浮爛羅勒而莖紫色、立夏開花似辛夷而帯水紅、謝後結青実、皮外

白極鮮、皺而厚、裡紫黑色、味苦辛烈、稍足用、然不若漢產、肉厚色紫油潤、味苦辛者、其肉薄而色淺及市人称和厚朴者不堪用、

【釋性】味苦溫、主消痰下気、去結水、破宿血、消化水穀、大溫胃氣、療腹痛脹滿喘欬、

議曰、厚朴味苦溫、能降気逆、散膨脹、故下後表邪壅過気逆為喘者、桂枝湯加厚朴杏人以散之、桂枝加厚朴杏人湯是也、更有発熱而為腹滿者、桂枝湯加厚朴大黃以泄之、厚朴七物湯是也、若汗後胃気不布、寒飲為脹者、與半夏生姜甘草人參相配以和之、

厚朴生姜甘草半夏人参湯是也若下後餘熱不除為腹滿者與乾姜梔子相合以解之梔子厚朴湯是也又與枳実大黄伍則除胃実腹滿更有燥屎者伍芒硝以去之大小承氣湯所主可以見焉厚朴大黄湯治痛而閉者其意專在散気滞故用厚朴八両為君與小承気湯以大黄為君者大異其趣矣又以此三物治支飲胸滿意同于厚朴大黄湯又與薤白枳実並驅治胸痺胸滿與半夏蘇葉相伍治気核在咽中枳実薤白桂枝湯半夏厚朴湯之所主可以見矣蓋厚朴味苦也惟其苦故能破気去実滿而消腹脹

厚朴之氣温也惟其温故能和氣除虛滿而散結滯是以寒温相配虛実並行而治胸腹間氣逆為脹者也後世不論此義漫認平胃散方中有此品概為温脾調中藥可謂麤漏矣

人蔘

釋品 和名久万乃伊以韓産為絶品然真若極難得今官園移植其種廣為世用俗呼御種人参苗（おムマハ一行トルヲヨシトス）葉典本邦所産者同而根不異韓産其下種者初生寸許一椏三葉三年後生三椏各五葉後至七八葉椏心攛一莖三四月有淡緑色細小如芥花蕊鬚白

色後結実初青熟赤堪愛觀本邦者和州芳野紀州熊野及諸州生俗称直根参其味苦微帶甘與韓産大異又有竹節参者苗葉與直根参同但其根横生如作鞭多鬚味酷苦有青州之氣或以為花鏡所謂土参之類或以為直根之蘆頭物理小識云市人節参似小菖蒲而曲乃参蘆也未知何是凡撰之取根有横紋而潤実色黄味甘微帶苦自有餘味者為良軽虚者乃春参勿用

【釋性】味甘微寒止驚悸止消渴通血脈調中治氣消食開胃食之無忌

議曰、人蓡味甘温微苦、止渴生津液、能達諸藥之力、陶弘景曰、其為藥功要、亦與甘草同功、旨哉此言、夫人参性微寒而微温、氣盛而力厚、正稟中和之質、故邪去精虚者用之、固宜、或邪存而精虚者投之無剛燥之患、是以與甘草均其功用、寒熱並施而無礙也、論曰、悪寒脉微而復利、利止亡血也、四逆加人参湯主之、亡血即亡津液之謂也、如茯苓四逆湯桂枝加芍藥生姜人参湯、厚朴生姜甘草半夏人参湯、炙甘草湯、亦為発汗後亡津液用之、若夫津液不亡、邪氣熾盛者、一概補塞之、輕者愈重、重者即死、故可吐可下及利水攻血之方未嘗有用之者矣又白虎湯清熱之劑而加以人參者津液竭之消渴甚故也其証曰大渴舌上乾燥而煩欲飲水數升曰口燥渴心煩曰渴欲飲水無表証曰渴欲飲水口乾舌燥皆足以徵滋津之功焉以上四證千金方作白虎湯非也如竹葉石膏湯竹葉湯烏梅丸溫經湯吳茱萸湯麥門冬湯澤漆湯橘皮竹茹湯附子湯則扶危定傾以助諸藥之力若邪氣尚盛則必從專治無加蔓之法也又助柴胡芩連之力者殊多蓋胸脇及心下痞鞕証須顧胃虛生姜瀉心湯曰胃中不和心下痞鞕甘草瀉心湯曰胃中

空虛容氣上逆故使鞕也、是也、其他如半夏瀉心湯旋覆代赭石湯桂枝人參湯人蔘湯木防已湯及去石膏加茯苓芒消湯大半夏湯茯苓飲乾姜黃連黃芩人參湯六物黃芩湯生姜甘草湯乾姜人蔘半夏丸黃連湯大建中湯理中丸鱉甲煎丸小柴胡湯及去半夏加栝蔞湯柴胡龍骨牡蠣湯、皆有心肷下痞鞕滿証、而方中用人蔘乾姜溫胃之藥、要知痞滿証未有不必自胃虛者也、治痞滿者、雖有実証、須顧其胃、是仲氏之所以垂妙於成方也、吉益爲則曰人蔘治心下痞鞕、僅窺豹之一斑者耳、又世医妄用人參者、不問何病、不辨何方、覷危急篤革之証、則必用之、云人蔘回元氣於無何有之鄉、何其不稽古不解事之甚也、余嘗觀仲師所用之方、未曾有至其危篤者必用人蔘也、夫大柴胡湯之重於小柴胡湯、小柴胡湯有人參、而大柴胡湯則否矣、大承氣湯之重於白虎湯、白虎湯有加人蔘、而大承氣湯則否矣、通脉四逆湯之重於四逆湯、有加人參而通脉四逆湯則否、又小柴胡湯白虎湯之輕於四逆湯、而柴胡白虎倶用人參三兩、四逆湯僅用一兩、乃知危篤非必用之、重證非必加之、用捨禁宜別自有理、又雖稍知其理、徒投人情所好、毅然用之以為射利避罪之具者、奸医之妄計為可深憎、抑薬之為物、就重就輕就親就疏配合之際少一不可也、然而人参特蒙此神霊之名、又負此重寃噫薬亦有幸不幸哉、

按世有称廣東人参者、係西船齎来、庸医尊奉以欺人、廣東新語蘐長公詩云粤無人参乃知非人参也、小野職博曰、其始来於長崎名曰安筮根、形色氣味與三七根無異、本経逢源三七根条云、廣産形如人参者是有節者非、並可以徵焉、或曰是即洋参、呉遵程曰西洋人参、苦寒微甘、味厚氣薄、補肺降火生津

涙除煩倦、虚而有火者相宜、出西洋佛蘭西、形似白泡糙人参、煎之不香其氣甚薄、或是耶然此物本西夷產、决非東漢所見、用古方者豈可混用焉哉

白朮 蒼朮

釋品 和名乎久良本邦本生武州總州、今又傳漢種有蒼白二品、白朮葉長大五七相排成一葉、莖如蒿幹狀、長三四尺、莖端開花、紅紫色、似小薊花、根作極而少膏、蒼朮和名江也美久佐頗似和生者、莖高二三尺、葉俠長差互、初多白毛、其近根葉有五叉、皆邊有細刺、狀開白花、其根如老姜狀多

脂蒼白其種自異今藥鋪以蒼朮嫩根為白朮謂之嫩根白朮以老根為蒼朮謬也蒼朮以佐渡產為上品白朮和州宇陀者與船来略同而二朮俱以船来為優

【釋性】味苦温主風寒濕痺開胃去痰涎止下泄利小便除心下急滿治腰腹冷痛

議曰朮味苦温能除濕利水故上中下皆可通用但因其所配而不同表裡上下之分焉如理中丸人參湯桂枝人參湯附子湯天雄散則佐人參乾姜而壯中氣温胃寒也如真武湯甘草附子湯桂枝附子去桂枝加朮湯桂枝芍藥知母湯越婢加朮附湯則配桂

麻附子而走表分逐水氣者也論曰朮附并走皮中逐水氣可以徵焉蓋言朮附而不言桂朮者舉重而略輕也又伍乾姜者是為苓姜朮甘湯乾姜之温固不及附子之热是以苓姜朮甘之加一等者為真武湯也又單併枳実者是為枳朮湯枳実之力未及細辛附子故枳実之進一階者為桂姜棗草黄辛附湯也可見軽重緩急随其所遇而異之運用也又如桂枝加茯苓朮湯五苓散麻黄加朮湯越婢加朮湯防已黄耆湯則不假附子而走表逐水者也如澤瀉湯苓桂朮甘湯茯苓飲猪苓散當帰芍薬散白朮散則不

藉人葠而持中氣利小便者也夫朮之為品苦温而芳烈在裡者能利在表者能散在上者能降在下者能升在中者能化雖配合為妙運用入神要之不過于去水湿建中氣宜矣仲師有理中之称也徊溪徐氏類方举朮諸湯收之扵理中丸條下可謂善知朮之効用者矣

按素問有朮澤瀉湯而不言蒼白神農本経亦單言朮不分之而至于本論皆称白朮藏器曰凡古方云朮者乃白朮也非謂今之朮矣乃知後人對蒼朮而加白字也脉經引本論諸方皆作朮蓋是以徵其誤

鏡離子可疑蓋是漢地人非秦漢之謂也

爲蓋蒼朮之稱未詳始何代本草彙言云漢人鏡離氏曰蒼朮處々山中有之惟嵩山茅山者良李時珍曰張仲景辟一切惡氣用赤朮々々即蒼朮也然則其始已在漢而古方通用亦未可知也但蒼朮苦辛氣烈白朮苦甘氣和故發汗除湿之功蒼者爲優而理中利水之力反不及白者二朮各有所長並行不悖宜臨用斟酌矣

猪苓

釋名 和名波未保止其形黑似猪屎故名爲入藥以肉白而実者爲良本邦出於羽州奥州 播州與西

土者同按陶弘景曰是楓樹苓然吾邦不產楓樹其生處多是楪堤不知因何氣結也

【釋性】味甘平利水道解傷寒溫疫大熱主腫脹滿治渴除濕

議曰猪苓味甘平能利小便除渴其功與茯苓相近猪苓本木精之所結猶松之餘氣結為伏靈可見其功亦相近也蓋分消滲泄之力猪苓為最故本經云利水道甄權曰主腫脹滿仲師所用亦皆主渴而小便不利也今細辨之五苓散得茯苓澤瀉朮桂枝為解熱治水之總司猪苓湯佐阿膠滑石為燥濕滋液

之剤猪苓散不借辛散不待潤燥為淡滲去飲之方
茯苓澤瀉湯亦與猪苓散相似而不用猪苓者此
唯胃反吐而渴耳非飲在膈上者故慮其過於利水
也成無己曰五苓之中茯苓為主故曰五苓散余謂
不然允論中以猪苓為主者本論有猪苓湯有猪苓
散金匱亦有猪苓散於是名以五味猪苓因畧作五
苓散也外臺秘要注云猪苓五味者可以徵焉本論
有黄芩湯金匱亦有黄芩湯於是別以六物之名亦
猶是類已余故曰三方皆以猪苓為主矣莊子曰豕
零為帝猪苓豈復尋常之品哉

澤瀉

【釋品】澤瀉生淺水春發苗葉短如匕頭俗呼曰佐之於毛多迦近道者葉長根小即本草原始所謂水澤瀉是也以奧州出者為上丹州薩州次之其色白而肥大者為好勿用輕久朽蠹者

【釋性】味甘寒除痞滿消渴淋瀝頭旋利膀胱熱尤長於行水

議曰澤瀉味甘平能滲泄故用與猪苓茯苓相近而尚長於行水其力猶澤水之傾瀉是其所以得名乎夫水飲一去則渴可除胃可開眩可止澤瀉非能治消

渴胃反眩冒也以利其水故也五苓散猪苓湯澤瀉湯茯苓澤瀉湯當歸芍藥散之所用皆不過乎此意唯分量每超乎他品則知其效尤在多用矣又茯苓澤瀉湯先煮諸藥後用澤瀉再煎者此物氣味淡薄煮之太過恐損其力也亦猶如諸承氣湯之於芒硝可見其效與二苓相近而又有自異者矣若夫八味丸則桂附之溫陽地丹之滋血薯蕷之澀収澤苓之滲泄一闔一闢相和相濟以成其功乃平淡之神奇所以為古今不易之良方也諸家不解之鑿々乎費解誤矣

梔子

【釋品】和名久知奈之入藥取山谷生者謂之山梔子以七稜至九稜圓小皮薄色赤者為良如家園栽者形大皮厚而長雷斅炮炙論謂之伏危子只入染家用入藥無力

【釋性】味苦寒療胸心大小腸大熱心中煩悶通小便解五種黄病治大病起勞復

議曰梔子味苦寒能解熱除煩益其性輕飄非大黄質實苦寒之比是以其所主多在汗吐下若勞復之後梔子豉諸湯之所治可以見矣雖然其人素冷為

微溏者不可與以屬寒藥也若暴瀉大吐之後少氣者加甘草緩中氣尤善徒傷其中而不能蕩滌其邪者佐乾姜温中散之其積実者合枳実厚朴而用之如梔子甘草豉湯梔子乾姜湯梔子厚朴湯是也又配茵蔯大黄消石以除瘀熱発黄利小便茵蔯蒿湯云小便當利尿如皂莢汁色正赤一宿腹減黄従小便去梔子非能利小便所謂上焦開下竅通者也若瘀熱未実発黄者合蘗皮清之其意専在解爵熱即梔子蘗皮湯是也其他梔子諸方可類而知矣按本草不言梔子瓜蔕為吐薬仲師特用之以為吐劑是

以諸家多疑梔子豉湯服後辞為錯謬夫梔子雖本非吐藥以其味苦故用之以漏汗吐下後虛邪畱連於腹胸之間其勢向上者即所謂高者因而越之之意也且服後辞與瓜蒂散自有輕重之差而文例亦不同何一概抹殺之為準繩曰梔子吐虛煩客熱瓜蒂吐痰実宿寒可謂得仲師之旨矣

香豉

【釋品】和名加良奈都止字豉有淡鹹之分入藥取淡豉氣香也鹹豉但充食品耳今藥舗所貯其製不精故壞爛惡臭不可近之猫狗不食況於人乎

用者當家製李時珍曰造淡豉法用黑大豆二三斗六月淘淨水浸一宿瀝乾蒸熟取出攤席上候微温蒿覆毎三日一看候黄衣上遍不可大過取晒簸淨以水拌之乾湿得所以汁出指間為準安甕中築実桑葉葢厚三寸密封泥於日中晒七日取出曝一時又以水拌入甕如此七次再蒸過攤去火氣甕收築封即成矣此法葢本于外臺秘要

釋性 味苦寒主煩躁滿悶下氣調中治中毒藥齊治犬咬

議曰香豉即香淡豉也氣味香美而濃能滞戀胸中

以除煩懣懊憹故梔子諸湯每配此物以奏肺胸之績也又與赤小豆配則同氣相求兄弟併力以排胸中寒飲是以瓜蒂散佐此二品以逞涌泄之力也蓋豆性平為中和之品雖經蓋罯遏（庵入声）合切亦能資胃氣故淂葱則発汗如外臺葱豉湯是也古人曰吐剤寫発汗之意即此品有升散之力故耳其他外臺脚氣痛痺方中多使用之而仲師之經無所替故闕而不論按金匱治中毒方又用此品本草云味苦寒無毒又云殺六畜胎子諸毒即此義並足以見清涼除逹之功矣

枳實

釋品 枳乃木名、実乃其子、故曰枳實、張思聰曰実乃結実之通称、無分大小、是矣、宋開寶本草以小者為実、大者為殼、始為二品、按説文、殼苦角切、廣韻皮甲也、増韻或作殼、枳子皮固非殼狀、用字恐失當、且戾古義、不可從、凡擇舶来者、以色黑皮厚而有穰十二三為真、其皮至厚、穰少者朱欒也、其皮綠色有細毛者、枸橘、邦俗称迦良太知者是也、并不堪用、又市肆有称漢種枳殼者、皮厚穰少、即本草所謂臭橙也、又有呼圓枳実者、出于薩州、幾道

眞其他以柚青橘之類僞充之不可不擇

【釋性】味苦寒除寒熱結止痢除胸脇痰癖逐停水破結実消脹滿主心下急痞痛逆氣喘欬

議曰枳実味苦寒能利氣滯破結実正有衝墻倒壁之力是以消心下痞塞之痰水泄胸中痺滯之氣推胃中隔宿之食削腹中廻年之積也夫枳実朮湯之於心下堅大如盤枳実芍薬散之於腹痛煩滿桂枝枳実生姜湯之於懸痛枳実薤白桂枝湯之於胸滿梔子厚朴湯之於腹滿小承氣湯之於腹大滿大承氣湯之於腹滿痛及心下必痛胸滿厚朴三物湯之

廻年可疑

於痛而閉、厚朴七物湯之於腹滿、梔子大黃豉湯之於熱痛、大柴胡湯之於心下滿痛及痞鞕、四逆散之於四逆腹痛、麻人丸之於脾約大便難、孰非気滯乎、孰非結実乎、蓋邪氣内陷為実者、本于元気留滯、元氣一滯則邪気併滓濁以成盤結、故雖投蕩実滌邪之品、非疏氣以通其滯、則不能達其力、是仲師所以枳実配諸湯取十全之効也、寇宗奭曰、張仲景治傷寒倉卒之病、承気湯中用枳実、皆取其疏通決泄破結実之義、可謂得其旨矣、

特1
3432

1
3432
三

古方藥議卷三目次

巴豆

芫花

赤石脂

太一餘糧

貝母

大戟

禹餘糧

古方藥議

信濃　淺田惟常識此著

茈胡

〔釋品〕和名波万阿加奈、本邦所在有之、自秋生新苗、其葉似瞿麥青紫色、至春漸長如竹葉、秋岐數枝、發小黃花、結細子、至冬莖葉枯、市肆以西州產者呼鎌倉柴胡、以關東產者呼三嶋柴胡、並宜擇用根實如鼠尾、氣味苦芳、發而無油臭者、又間有船來形味如鎌倉柴胡而肥大耳、

〔釋性〕主心腹去寒熱邪氣除煩止驚消痰止嗽治婦人産前後諸熱及熱入血室經水不調宜暢血氣下氣消食

議曰茈胡味苦平驅表裏之熱逐胸脇之邪故能除煩止驚消痰止嗽治眩運目昏耳聾鳴冝矣仲師用為少陽之主藥也蘇頌曰張仲景治傷寒有大小柴胡及柴胡加龍骨牡蠣茈胡加芒消等湯故後人治寒熱此為最要藥夫邪氣在表裏之間則為少陽所主之界故其證主心腹其熱為往來方此時非發汗吐下之所宜惟茈胡能驅逐以達于外也後人弟知茈胡

和解外而不知茈胡最能和裏今夫攷仲師方如小
茈胡湯茈胡桂枝湯茈胡桂薑湯茈胡去半夏加栝
蔞湯則專于少陽者也故當其奏功蒸々而振或微
煩發熱汗出而解矣如大柴胡湯茈胡加芒消湯茈
胡加龍骨牡蠣湯則併制陽明者也故曰下之則愈曰
先宜小茈胡湯以解外後以茈胡加芒消湯主之可
見裏亦茈胡之所關係也茈胡不徒驅逐表裏之邪
氣亦能走于血分而退血熱是以小柴胡湯又治熱
入血室及產後血厥蓐風諸証後世勞藥血藥亦有
往々用之者張潔古曰婦人產後血熱必用之藥益

産後血熱亦有虚実若固執以投之不能無害要之本經主心腹之語實為茈胡之標準又如四逆散治少陰裏熱茈胡飲子退五藏虚熱雖有陰狀虚候係邪本壅正氣其主茈胡者乃苦以發之也

按仲師治瘧母鱉甲煎丸治勞瘧茈胡去半夏加栝樓湯皆用茈胡而註家未有明晰之者獨龐元英談藪載張知閤久病瘧熱時如火年餘骨立醫用茸附諸藥熱益甚召醫官孫琳胗之琳投小柴胡湯一帖熱減十之九三服脱然琳曰此名労瘧熱從髓出加以剛劑氣血愈虧安得不瘦蓋熱有在皮膚在藏府

在骨髓非茈胡不可若得銀茈胡只須一服南方者力減故三服乃効也可謂孫琳善得仲師之旨矣

附前胡

〔釋品〕和名无万世利肥後州武州産為上品

〔釋性〕味辛甘治傷寒寒熱痰滿胸脇中痞心腹結氣風頭痛去痰下氣開胃下食

議曰外臺秘要引崔氏載大前胡湯小前胡湯即是傷寒論大小柴胡湯惟前胡代茈胡耳其他晋唐諸方用前胡大氐與茈胡麤體相近陶弘景曰與茈胡同功而今所謂前胡者芳香微苦絶不似茈胡之苦

臊古之所用果是耶或曰菰前音通即一物耳余未知其可否姑書以俟來哲徵驗

栝蔞實

〔釋品〕和名岐迦良須宇利本邦所在有之春生苗蔓延狀如土瓜而葉薄澤作叉無毛夏開白花結實如拳生青熟黃内有扁子大如絲瓜子殼色褐仁多脂古方完用後世乃分子瓤各為用也其根長數尺秋末掘采結實有粉切之有花文者為真

〔釋性〕味苦冷主胸痺潤心肺利咽喉去胸膈鬱熱滌痰結為治嗽之要藥

議曰栝蔞實味苦冷能利胸膈散滯結故與半夏黃連相配治結胸與桂枝薤白相合除胸痹小陷胸湯及栝蔞薤白白酒湯栝樓薤白半夏湯枳實薤白桂枝湯之所主可以見焉陶弘景曰主胸痹朱震亨曰治嗽之要藥蓋栝蔞實性滑潤能洗滌胸膈中痰沫膩垢猶如油之洗物是以結胸胸痹欬嗽凡胸中痰非是品不能蠲也惟如小結胸則邪結固小未及畜水故不用芒消甘遂鹹寒逐水之品而用半夏栝樓實辛温滑潤之物是以其所下不在畜水而在黃涎小陷胸湯方後云下黃涎便安也亦可以見大小結

胸輕重之別耳、

按栝蔞後世唯用人而不用實、然證治準繩云、肥大結實連子皮細切用、仲景方乃稱一枚、又曰一個而不言分量、則古子瓤皆用者明矣、

栝蔞根

〔釋品〕和名岐迦良須宇利乃稱、詳于前栝蔞實條下、

〔釋性〕味苦寒、主消渴身熱煩滿大熱、止小便利、排膿消腫毒、行津液、心中結痼者非是不能除、

議曰、栝蔞根味苦寒、能潤中以行津液、故津液枯燥

筋脉失養身體几々然為柔痓者，桂枝湯方中加此品。又瘧病津液枯竭，引水飲及勞復不止者，小柴胡湯方中去半夏加此品。小柴胡湯方後亦云：若渴者去半夏，加人蔘合前成四兩半，栝蔞根四兩。乃知其所主在滋津也。圖經云：栝蔞主消渴，古方亦單用之，即不過此義。又與牡蠣滲泄之品相配，以治小便不利，渴而不嘔。柴胡桂枝乾姜湯、牡蠣澤瀉散、栝蔞牡蠣散之所主，可以推知耳。其他如栝蔞瞿麥丸，亦以其行津液，併之於利水之品而導水氣者也。李杲曰：與辛酸同用，導腫氣。可謂泥矣。產寶云：治產後乳無

汁栝蔞末井花水服方寸匕日二服夜流出足以見其滋津一端矣

按栝蔞根搗作粉者名天花粉天花即雪也取之於潔白之義明吳有性因外臺天行門栝蔞湯制柴胡清燥湯而方中用天花粉蓋天花粉出於栝蔞根清熱滋燥之功却優於本性可謂出藍矣蘇恭曰用根作粉潔白美好食之大宜虛熱人吳氏恐本于此

土瓜根

〔釋品〕和名加良須宇利乃稱即王瓜根王瓜春生芽葉似栝蔞有卷茸蔓延罥竹木晚夏開白花似

瞿麥而濶大秋結瓜如雞子大熟赤色內有黑核形似結書故名多未都佐根結數塊頗似栝蔞根但横切之無花紋為異野人作粉混衍天花粉中蓋王瓜粉黯淡不潔白握之無雪聲又以銀匙抄之粉附著其背面天花粉則否是為辨

〔釋性〕味苦寒主消渴內痺瘀血月閉帶下下乳汁散癰止小便數不禁

議曰王瓜根味苦寒其性畧似栝蔞而行瘀血利大小腸之效却優是以治瘀血帶下方中主之又治陽明津液內竭導法用之土瓜根散及蜜煎導條下可

以徵爲、

按土瓜正是王瓜訛、禮記月令王瓜生、呂氏春秋王菩、淮南子王瓜皆同物、金匱土瓜根散脉經引作王瓜根散、益足以徵其訛爲、本草云或王瓜、似未晰、

マガキ 淡水多キ傍、
イタボ 小ナルモノ 深海
ナガガキ
スミノエガキ 大ナルモノ
九州有明海

牡蠣

〔釋品〕和名迦岐、諸州海旁多有之、皆附石生、磈磊相連、嶄巖如山、俗呼磯迦岐、寧波府志所謂梅花蠣是也、一種生海中、大如馬蹄者、曰海牡蠣、又曰草鞋蠣、俗呼冲迦岐、入藥最佳、不必拘左顧右顧者、臨用須泥固燒使色潔白耳、段成式曰、牡蠣言

牡非謂雄也、且如牡丹豈有牝丹乎、此物無目更何顧盼、此説真快可從、

〔釋性〕味鹹平、主傷寒寒熱溫瘧洒々、驚恚怒氣、止盜汗、療洩精、治心脇下痞熱、

議曰、牡蠣味鹹平、能鎮驚泄水、故柴胡龍骨牡蠣湯救逆湯治煩驚及狂驚、而柴胡龍骨牡蠣湯與柴胡桂枝乾薑湯、皆有小便不利、蓋牡蠣海氣所化、成性、鹹質重、能重墜、其病而泄之下焦、故胸滿煩驚及胸脇滿微結、從此而解矣、夫重墜者必能收脱除溢、是以柴胡桂枝乾薑湯之頭汗、桂枝加龍骨牡蠣湯

之失精、皆牡蠣之所任矣、又至于牡蠣澤瀉散治水氣、則其重墜滲泄之性、配諸利水之品、以利下焦之湿濁者也、張子和以爲鹹飲泄水之劑、可謂得古方之旨也、今世俗治呑酸嘈雜以牡蠣一味、又諸鳥糞閉、則碎牡蠣以與之乃得通、亦足以見其效用一端矣、

膠飴

〔釋品〕和名美都阿女、用糯米飯和麥蘗、熬煎而成、湿軟如厚蜜、作琥珀色者是也、其色白而堅硬成塊者謂之餳、又曰硬糖、和名加多阿女、陶隱居曰、

方家用飴糖，乃云膠飴，皆是湿糖如厚蜜者，建中湯多用之，其凝強及牽白者不入藥。

〔釋性〕味甘温，補虚乏，益氣力，消痰止嗽，潤五藏。

議曰：膠飴味甘温，其能略類甘艸蜜，而和潤之力則為優，故仲師大小建中湯及黄耆建中湯、當歸建中湯等用之，以和胃氣緩諸急也。其証曰腹中急痛，曰上下痛而不可觸近，曰裏急，曰疞痛，是皆中氣不振，腹裏拘急之所致也，非膠飴之甘以和潤中，則安能奏其效乎。蓋仲師治中焦之方，有建中，有理中，而一和一温，一潤一燥，相對以立温養之法，後世補益之

方雖千萬皆不能出此範圍矣、

飴餳

〔釋品〕和名詳于前、傷寒蘊要云膠飴即餳糖也誤矣、釋名云餹之清者曰飴、形怡々然也、稠者曰餹、強硬如餳也、如餳而濁者曰餔、方言謂之餦餭、是説適當可從、

議曰、金匱治蛟龍病用寒食餳（時珍曰古人寒食多食餳故醫方亦收用之）蓋蛟龍病係蚘之變動、其用餳糖者即與甘草粉蜜湯同旨、不過安蚘之策耳、

桃人

〔釋品〕和名毛々桃、品甚多、惟山中毛桃小而多毛、其人充滿多脂、用之佳、蓋外不足者内有餘也、然此品難得、宜用尋常單葉者、今藥鋪所賣多是油桃人及諸桃人混雜、不可分、而亦非不可、

〔釋性〕味苦平、主瘀血血閉瘕、止欬逆上氣、疼痛、通潤大便、

議曰、桃人味苦平、能破血潤燥、本經云、主瘀血、別録曰、破癥瘕、仲師用桃人亦不過于此義、桃核承氣湯曰少腹急結、血自下、抵當湯曰少腹硬滿、曰經水不利、下瘀血湯曰腹滿經水不利、大黃蟅蟲丸曰内有

桑槐楮桃
柳

乾血、鱉甲煎丸曰癥瘕、桂枝茯苓丸曰癥痼、大黄牡丹湯曰少腹腫痞按之則痛、葦莖湯曰煩滿胸中甲錯、是皆屬瘀血者也、蓋癥痼癰腫、已敗之血、非生氣則不能流通、夫桃者為五木之精、花人枝葉並能辟邪、而其生氣皆在于人、故能開洩以去瘀滞也、雖然其性緩慢、不假駃駿之品、則不能入其血窠而拔其兇魁、於是欲下瘀血之新凝結者、佐大黄芒消、欲下其舊凝結者、佐水蛭䗪蟲、至于癥瘕癰腫則鱉甲瓜瓣牡丹亦各助其力以奏効矣、汪昂曰、行血連皮尖生用、潤燥去皮尖炒用、桃人雖緩慢自有配合之妙、豈旧象 Stegodon. orientalis Swinho.
" sinensis (Owen)

以皮夾與生炒異其效者哉

龍骨

〔釋品〕龍骨本經以為死龍之骨陶氏以為蛻化之骨朱（倪漢）氏獨斷然曰石燕石蟹之倫蒸氣成形石化而非龍化也得之蓋以形容如奇骨有龍骨之名故擇之以能化者為上品有半骨半石之狀者是未化也其色潔白輕虛而軟有一條竅者最為上品微黃者次之黑者下又有龍齒龍角即同類而功用亦不異本邦讚州小豆島產形若大魚骨而外黯黑粘蠣殼中灰色或以為大魚骨未知孰是

蘆洲龍尾產、形如浮石而重、中有針眼質、軟白色著舌、恐是上品、然未廣布于世、

〔釋性〕味甘平、主小兒熱氣驚癇、心腹煩滿、瘵夢寐洩精、小便洩精、

議曰、龍骨味甘平、能鎮驚止滑洩、其效與牡蠣相近、蓋牡蠣主利水、故茈胡桂枝乾姜湯、牡蠣澤瀉散、有牡蠣而無龍骨、龍骨主固氣、故天雄散有龍骨無牡蠣、而二味相配、則固上氣攝下脱之力復更優矣、徐之才藥對云、澀可去脱、即龍骨牡蠣之屬是也、此說一出、而世之論龍骨者、皆以收斂為千古定論、安知

此物雖形容如骨、本是蒸氣成形、石化而非龍化、故其能不過于重墜也、夫質重者固有鎮驚之力、而又能分利軀殼之溼濁、是以柴胡加龍骨牡蠣湯桂枝甘草龍骨牡蠣湯救逆湯等、皆與牡蠣偕力、以治胸滿煩驚及驚狂起卧不安、又桂枝加龍骨牡蠣湯治夢交失精、余以此方治小便白濁頻數、効亦同義、可見上焦一鎮濁氣自瀅驚狂夢交之證洒然而除也、乃足以破世醫之疑域矣、

鉛丹　過酸化酸化鉛

〔釋品〕鉛和名奈萬利、鉛丹即化鉛而成者、又謂之黄丹

今俗單呼丹丹乃朱砂名勿訛混泉州堺攝州浪華多製之以坊間呼長吉丹勝吉丹者為上光明丹次之菊丹又次之

〔釋性〕味辛寒墜痰去怯消積殺蟲治驚疳瘴痢外用解熱拔毒去瘀長肉熬膏必用之藥

議曰鉛丹味辛寒能解熱墜痰以鎮驚故茈胡加龍骨牡蠣湯方中與牡蠣龍骨相配以治胸滿煩驚蓋三物性質均重墜似難分解然細論之則牡蠣主泄水龍骨專固氣鉛丹專墜痰是以三物相依治下後邪在心胸痰飲壅塞心氣不寧為煩驚及譫語者也

若夫入膏治悪瘡腫毒則八石之祖解毒之最此其所專長矣

蜀漆

Dichroa febrifuga Lour. 常山、虎耳草科

〔釋品〕乃常山苗也漢土嘗送蜀漆其苗與本邦所產呼久佐木者同即蘇頌所言海州出者是也故名為海州常山其葉如小桐八月開花白色紅萼花卸萼上含碧実今觀西船所載來常山細実黄色即弘景所謂雞骨常山又蘇恭謂似茗葉狹長者皆是也根狀與和名曰古久佐木者同故當使常山以古久佐木使蜀漆以久佐木為良

〔釋性〕味辛平主瘧及欬逆寒熱腹中癥堅痞結積聚邪気療胸中邪結気吐出之

議曰蜀漆味辛平性暴悍輕揚能驅逐痰水發散邪結是以截瘧救火逆又去下部之水也乃徵之於古方如蜀漆散牡蠣湯則截瘧者也如桂枝加龍骨牡蠣蜀漆湯則救火逆者也如牡蠣澤瀉散則去水者也夫瘧之為邪挾頑痰以蟠結于少陽之部是其所以劫痰而邪祛也火逆之為証亦不過于陽気失守痰飲逐火升使人迷亂驚狂於是蜀漆之暴悍邀而奪之龍蛎之重墜鎮而攝之也蓋水與痰同類故腰

以下有水氣者又與牡蛎相配以導湿濁於小便者也後世或恐其暴悍為老人久病之所忌者非矣

按常山蜀漆根也又截瘧吐痰其効與蜀漆同故千金方云無蜀漆以恒山代之可見晋唐之間相代用也蓋本經載常山云主傷寒々熱々發温瘧鬼毒胸中痰結吐逆別録又云療鬼疰往來水脹洒々惡寒鼠瘻則其由來尚矣夫苗之於根性之太近者也故苗根往々並用今桂根竹根等試之其効與枝葉相髣髴亦理之不可誣者也醫家宜兩存而擴其用矣

水蛭

〔釋品〕和名比流，有數種。和名抄曰：水蛭，和名比流。
馬蛭，和名無末比流。蘇恭曰：有水蛭、艸蛭，大者長
尺許，並能咂牛馬人血是也。今取水中小者用之，
即儒門事親所謂金絲水蛭，六七月采曝乾。
〔釋性〕味鹹平，主逐瘀血月閉，破血癥積聚。
議曰：水蛭味鹹平，能行瘀血，破結滯，故抵當湯以此
品為主，驅逐舊瘀血也。若夫新瘀血，則桃人、牡丹皮
其力猶足能破之，而至乎其瘀畜之久，則盤根錯節，
非草毛木屑之所能拔。於是撰用蜎飛蠕動之中最
鋭於咂血者，同氣相求，同類相推，以奏績，殆是醫聖

不傳之妙用矣賈誼新書嘗載楚惠王食寒菹得蛭事王充論衡云蛭乃食血之蟲楚王殆有積血之病故食蛭而病愈也是也又如蜞鍼之咂惡血施之於墜損瘀血結核人不消者則可用之於腫瘍初起者則正瘀相激為害不鮮不可不知焉

蝱蟲

〔釋品〕和名阿乎阿布大如蜜蜂頭緑色嘴鋭而利如鋒鑽偶飛來家園中乃與西舶所載來無異今出紀州熊野及丹波州者即蘇恭所説木蝱俗呼為於保宇之波伊形如大蠅噆牛馬尤猛凡此類

同體以療血為本雖有小異同代用不為嫌

〔釋性〕味苦寒主逐瘀血破積聚堅痞癥瘕寒熱通利血脉及九竅除賊血在胸腹五藏者

議曰蝱蟲味苦寒其效與水蛭畧同陶氏曰南方溪澗多水蛆按蛆恐蛭訛長寸餘色黑夏末變為蝱然則二物本同性以善噉牛馬之血並舉治畜血所謂因其性而成用者也淮南子曰蝱散積血斲木愈齲此以類推之者也是也抵當湯及丸逐下焦瘀畜大黃䗪蟲丸治乾血為勞其所主雖有内外之異皆取義於此耳成無已曰苦走血血結不行者以苦攻之故

治畜血用蝱蟲穿鑿殊甚

䗪蟲

【釋品】凡用䗪蟲取漢船所來貨形扁如鼈背有横紋蹙起圓如棊子者為真市肆以蜚蠊去翅者為和䗪蟲或以龍虱偽充之龍虱多生止水中形似金龜子而長大有甲翅播州人呼為止牟加女兎之并不可入藥

【釋性】味鹹寒主心腹寒熱洗洗血積癥瘕破堅下血閉

議曰䗪蟲味鹹寒能破堅積下血其效與水蛭蝱蟲

相近故三物每相配以奏績蓋二物嵩長挃畜血而
䗪蟲則更擅破堅之力是以鱉甲煎持用此品不假
蝱蛭之威也又按䗪蟲雖善走血分其所主專在丨
乾血大黃䗪蟲丸云內有乾血下瘀血湯云腹中有
乾血著臍下土瓜根散之於經水不利少腹滿痛亦
不過于乾血之候不然則與抵當諸劑何別乎或曰
乾血與瘀血何以別之曰肌膚甲錯或身體羸瘦無
血色但不能飲食而無論乎其二便是為乾血之候
也其人發狂或喜忘或消穀善飢少腹鞕滿小便自
利或大便色必黑是為瘀血之候也雖然乾血與瘀

血皆以破血之品爲主則事似爲婦人設之惟下瘀血湯曰陰癩腫則何必婦人雖男子亦可用之

葶藶

〔釋品〕葶藶有甜苦二種本邦以伊奴奈都奈充苦葶藶以之呂伊奴奈都奈充甜葶藶是皆菥蓂子狗芥艸之類並非真舶渡者亦皆甜葶藶乃薺與菥蓂也不能破氣下水別録云味苦雷斅云苦入頂寇宗奭曰經既言味辛苦即甜者不復更入藥也是說可從僊源藥鑑云苦者行水迅速甘者行水遲緩要在看病症之輕重而用之也誤矣

〔釋性〕味辛寒主癥瘕積聚結氣飲食寒熱破堅逐
邪通利水道止喘息
議曰葶藶味辛苦治體大概以行水走泄為用故金
匱云與葶藶丸下水瀉肺湯又以此物為主蓋肺為
水源瀉肺之功即在瀉水豈啻一咳喘癥瘕積聚結
氣寒熱凡從水氣來者皆能治之本經所說可以徵
焉本草十劑云泄可去閉葶藶大黃之屬夫二味雖
均苦寒主泄其位不同大黃之泄在中焦葶藶之泄
在上焦是以承氣湯用大黃而陷胸丸用葶藶也若
夫巳椒藶黃丸治腸間有水腹滿則是淮南子所謂

大戟去水葶藶愈脹者亦葶藶之特効耳、

白蜜

〔釋品〕蜜即蜂蜜白是上等稱以色白甘美者為良本邦處々有之以筑州紀州出者為最用時稍々慢煉掠去浮沫至滴水成珠不散乃止謂之煉蜜

按蜜本經作石蜜蓋以生巖石者為良故有此偁而寇氏喋々數疑辨概屬無用仲景唯稱白蜜陶氏別録所謂石蜜生武都山谷河源山谷及諸山石間色白如膏者良也是也備要云西京有梨花蜜色白如脂是自別品不可混、

〔釋性〕味甘平、止痛解毒、除衆病和百藥、止嗽治痢、能清腸、

議曰蜜之爲物、鍾草木之精英、合露氣釀成之、故其味甘美、其質柔潤、能和痛潤燥解急也、今徵之於仲師所用、如大烏頭煎烏頭湯烏頭桂枝湯、則和痛解急者也、如蜜煎則潤燥通便者也、如大陷胸丸甘遂半夏湯則善和峻藥、寬猛得宜、以適病者也、蓋蜜與甘草其功相似、而安胃之力則長矣、是以大半夏湯白蜜入水、揚之使甘味散於水中、水得蜜而和緩、蜜得水而淡滲、便使胃反平而嘔吐立止、誠千古妙策

也、若夫甘草粉蜜湯之於蚘蟲則毒藥後和中氣以歸其所喜者也、其他如理中丸八味丸括蔞瞿麥丸半夏麻黃丸赤丸桂枝茯苓丸麻子仁丸礬石丸皂莢丸當歸貝母苦參丸烏頭赤石脂丸皆和以蜜者、取其能固氣不走也、茶餘客話云、粵垣家蒸玉面貍與烹黃雀、必先以蜜塗之、雖沸煠而其膏不走、即此義耳、李東垣曰、煉蜜為丸者、取遲化而氣循經絡也、可謂鑿矣、要之蜜性為和潤、故能和諸藥、又能固藥氣以奏効也、豈非真腐生神奇者哉、

甘遂

〔釋品〕和名奈都止宇多委、生諸州山中、孟春生紅芽高七八寸、苗葉似大戟、晩春發細緑花、其根瘦小色黒、破之則有白汁、然其效不如漢產、皮赤肉白、作連珠狀者、但須擇新近者、年久者蛀孔縱橫、氣味既脱、不堪用、

〔釋性〕味苦寒、主大腹疝瘕、腹滿、面目浮腫、留飲宿食、癥堅積聚、利水穀道、

議曰、甘遂味苦寒、能破結通水、故以遂名、遂、即通水之道也、凡人身之有水氣、苟不得其道、則為結胸、為懸痛、為心下堅滿、為少腹鞕滿、於是甘遂直達其所

結之處以通游水則軀殼融而氣血可和亦猶千夫之曰有遂而稼穡不乏矣是以大陷胸湯十棗湯甘遂半夏湯大黄甘遂湯皆用之也蓋甘遂性猛烈非得甘和之品則不勝瞑眩故大棗甘草蜜阿膠相配適其宜但如大陷胸湯以急於攻決不俟甘和也李時珍不辨此意漫以相反為説恐非古義保命集云凡水腫服藥未全消者以甘遂末塗腹繞臍令滿内服甘草水其腫便去殆是甘遂半夏湯之意病者虚羸不勝瞑眩者或可為權用

文蛤

〔釋品〕和名波萬久利生海沙中形似栗子故名焉大一二寸背有斑文者為上品方有執曰文蛤即海蛤之有文理者是也金鑑以川文蛤充之非矣

〔釋性〕味鹹平能止煩渴利小便化痰軟堅

議曰文蛤即花蛤以背有花文得名其味鹹平能除煩渴利小便故太陽病用水却益煩意欲飲水反不渴者及渴欲飲水不止並用文蛤散若夫反胃吐後渴欲飲水而貪飲者用文蛤湯此方又治微風脉緊頭痛總取鹹寒清熱滌飲之義也蓋牡蛎蛤蜊海蛤文蛤之類並出海中其質沉降潤滑性味鹹寒功用

畧同金鑑不辨此意一槩以爲不効曰嘗考五倍子亦名文蛤按法製之名百藥煎又能生津止渴故嘗用之屢試屢驗是說雖本於三因方恐非古義千金翼文蛤散小注云即海蛤粉也可以徵焉

桔梗

〔釋品〕和名阿利乃以布岐今通名桔梗有數品入藥以山生單辨紫碧花根不去粗皮者爲佳俗呼皮付桔梗者是也世醫唯尚根白故堀采米泔漬或流水浸數日爛去其皮而後晒乾俗謂之晒桔梗其制如此則苦味既脱何以能奏其效乎古人

嘗名曰苦梗又稱苦桔梗其意可以知矣

〔釋性〕味辛温主胸脇痛如刀刺療喉咽痛消痰破癥瘕養血排膿利竅治嗽逆口舌生瘡赤目腫痛

議曰桔梗味苦温能下氣排膿今攷仲師所用有两義一則利膈下氣如桔梗白散是也一則排膿和痛如桔梗湯是也盖桔梗性軽浮開提氣血以為托膿之良藥故至于肺癰之證則二方互用以治之唯其軽者籍甘草和痛消毒其重者載巴豆捜逐胸邪悉盡無餘耳其他如排膿湯排膿散載在瘡癰篇且以排膿為名則其証雖闕亦可以類推而知焉

巴豆

〔釋品〕西船所載來唯一品，帶殼者良，本邦薩州有之，木高丈餘，似臭梧桐，互生無毛茸，嫩葉帶黃赤，經冬不凋，酷惡霜，三月新枝上出穗，發小黃花，夏結實，作房類蓖麻而無刺，每房有三子，頗如蓖麻子而無斑文，其功用與漢產無異，用時不壓油而用，宋王碩曰：巴豆之功多在于油，是也。

〔釋性〕味辛溫，破癥瘕結聚堅積，留飲痰癖，大腹水脹，開通閉塞，利水穀道，治惡瘡息肉，及疥癩丁腫，喉痺牙痛。

議曰巴豆味辛温性猛烈能攻寒逐毒殆為斬關奪門之將是以仲師之用巴豆皆急卒寒實之病單刀直入以驅逐胸腸之壅滯蕩滌腸胃之閉塞也惟因其配合而不無小異同於是配桔梗則下氣排膿配貝母則開結豁胸如桔梗白散是也配杏仁則驅心胸之毒如走馬湯是也千金紫圓亦同義其用代赭等者專主鎮墜降下也配大黄乾薑則蕩滌心腹結實急痛如備急圓是也配附子呉茱萸則去心中寒冷毒痛如九痛丸是也蓋大黄巴豆同為峻下之藥但大黄性寒熱實者宜之巴豆性熱寒實者宜之故傷寒傳裏多熱者多用

大黄水寒結實者多用巴豆而其証極暴極實者二物戮力咄嗟奏凱乃知備急丸一方為攻瀉諸方之冠而諸急卒証非此不能抵當也若夫胃中有寒積而下利者巴豆反可止其利東壁李氏曰巴豆峻用則有戡亂劫病之功微用亦有撫緩調中之妙譬之蕭曽絳灌乃勇猛武夫而用之為相亦能輔治太平善夫此言也然而世之愚者畏之如蛇蝎終身舍而不顧王碩易簡方曰巴豆治揮霍垂死之病藥至病愈其效如神真衛生伐病之妙劑参朮雖號為善良却能為害無見尊貴之人服藥只求平穩而於有瞑

眩之功者、不敢輙服、醫雖知其當用、亦深慮其相信之不篤、稍有變症、或恐歸咎於己、姑以參术湯藥迎合其意、倘有不虞、亦得以藉口、而不知養病喪身、莫不由此、是說真爲後世龜鑑、爲醫者可不鑒哉、

貝母

〔釋品〕和名阿美加佐由利、晚冬生苗、葉似卷丹而對生、三月開黄白花、斜懸如鈴、根如水仙、色白、若貝子狀、又有和名迦和由利者、即蘇頌所説貝母、畿内山中多有之、西舶所來貨有大小二種、小者方家所謂川貝母、入藥最良、大者本草彙箋所謂

象山貝母皆同類俱可用

〔釋性〕味辛平主傷寒煩熱淋瀝喉痺欬嗽上氣吐血咯血肺痿肺癰療腹中結實心下滿胸脇逆氣

議曰貝母味辛平能開鬱結行淡水故三物白散治寒實結胸又治肺癰吐膿當歸貝母苦參丸治婦人姙娠小便不利皆足以徵開結行利之效矣蓋貝母者詩所謂蝱也詩本以不得志言而此物能散心胸鬱結不舒之氣則作是詩者其知藥性乎仲師所用亦不過于斷義世醫不識古意動輒至于半夏貝母漫然迭代用以為痰家通藥汪機辨駁之是矣

按當歸貝母苦參丸治妊娠小便不利諸家無明解本經云主乳難甄權曰主難產兼治胞衣不出因此觀之貝母亦與葵子牛膝滑石葦同有滑子胞之能乎雖然古方有一藥治兩症者又有兩藥治一証者配合之妙殆不可端倪是以有往々與諸本草不符合者學者苟於其不符合處而講求則自得理外之理矣

芫花

〔釋品〕和名布之毛止木俗呼爲丁子櫻蓋以其花似丁子與櫻也木高三五尺春發紫縹花四瓣狀

如丁香未全開時收采日乾用味苦辛者極良漢産最優

〔釋性〕味辛温主欬逆上氣喉鳴喘咽腫短氣泻水氣脹滿殺蟲

議曰芫花味辛温能行水故一名去水楊士瀛曰破癖須用芫花行水宋謨曰行水消脹之藥也是其所以得名予仲師十棗湯與大戟甘遂相配以使懸飲從二便出殆其義也又淳于意治蟯瘕用芫花則知此物不啻去水亦併驅蟲也是猶巴豆能下水亦能殺蚘不可不知

Euphorbia Esula, L. ハギリサウ 乳漿草
E. Chamaesyce, L. 大戟

大戟

〔釋品〕舶來有二種、其一紫大戟皮紫赤色、而肉柔如綿、此爲上、其一綿大戟皮赤黑色、而肉赤韌如綿、此二種、味辛苦、綿者最戟咽喉、今不來貨、偶於舶來黄芩白鮮皮中得之、本邦有享保中所傳漢種、春生紅芽、莖漸長三四尺、葉似金絲桃而狹、叢生、夏開細黄花、根細長柔韌、破之有白汁、秋冬採根蒸曝乾可用、舊說以土大戟草蔄茹充大戟者非、

〔釋性〕味苦寒、主十二水腫滿急痛、破癥結、

Fuller's earth
漂布泥
硅酸礬土、石灰、苦土
酸化鉄等ヨリ成ル土
ニメ石脂ノ代用トスベシ

議曰大戟味苦寒辛烈能行水其功與芫花甘遂相近但細分之則芫花能散胸中之痰涎飲積大戟能泄藏府之水湿甘遂能行經隧之水故十棗湯三物相依以達于水飲窠囊隱僻之處使之自大小便而洩也蓋三品皆峻駃恐害内也於是大棗之甘平維持其中胃以致績殆是古方之妙用矣陳無擇以此方為丸治水腫喘急浮腫之証亦能活用者

赤石脂

〔釋品〕和名伊志之氣即石上所涌出之脂也其状絳滑如脂舐之粘舌以爪微研之見光澤者真也

生佐州羽州能州攝州者皆良西舶載來者其質枯白微帯紅無絳滑之狀疑是山土也不堪用

【釋性】味甘平主泄痢腸澼膿血腹痛小便利崩中漏下

議曰赤石脂味甘平能入於血分而止痛固下為石中温藥仲景治下利便膿血桃花湯則石脂之重澁與乾姜之辛温相依牢固下焦虛脱之氣粳米佐二味而潤腸胃奏全效也赤石脂禹餘糧湯亦同義但鎮固之力稍為優耳蓋此品不徒牢固下焦又能鎮

墜上焦除寒飲故風引湯寒温相依赤白並用以治熱癱癎烏頭赤石脂丸温澁相兼以治心痛徹背也千金翼以赤石脂一味治痰飲吐水無時節者亦足以見温藥除飲之功矣

按石脂五種性味主療大抵相同但以赤白為通用耳如桃花石亦其類也桃花石唐本草云主治大腸中冷膿血痢久服令人肥悦能食時珍曰此即赤白石脂之不粘舌堅而有花點者非別一物也故其氣味功用皆同石脂昔張仲景治痢用赤石脂名桃花湯和劑局方治冷痢有桃花丸皆即此物耳可從

禹餘糧

粘鐵石、赤鐵鑛ノ一種粘土ヲ含ム酸化鉄

〔釋品〕和名古毛知委之但州能州日州山中產，視之小石也，外面堅黃黑色，破之中虛有粉塊，與船来者不異，惟船上多去其殼来，以其色白嚼之不磣者為佳，正黃淡青者俱可用，黑色者丸方

〔釋性〕味甘寒，主煩滿下赤白，少腹痛崩中，固大腸

議曰禹餘糧味甘寒，能利水固下焦，蓋此物得水土之專精而成，美故平水土以固下焦，其績如神禹，宜美謂為禹也，三因方治十二腫水氣禹餘糧丸中主用之，可以徵焉，夫有利水之能者，皆克治下利，以其

去湿也然白朮茯苓輩徒燥中胃之湿而不能及下焦於是乎有餘糧石脂之設蓋以下焦滑脱之利非重墜之品則不能達病也李知先詩曰下焦有病人難會須用餘糧赤石脂仲師赤石脂禹餘糧湯亦不過于此意潔古以此方治欬則遺矢者可謂善運用者矣如禹餘糧丸其方雖闕審證治亦分利鎮固之義耳

太白山ヲ終南山
陝西省鄠縣南
ニアリ或ハ太乙、太
壹トモ書ク

太一餘糧

〔釋品〕和名伊波都保與利也字其殼若瓷方圓不定黄黑色外多粘綴碎石殼中有黄粉又有凝結

如石者摅之則鳴如鈴鐸故俗稱鈴石入藥用其
粉

議曰亦石脂禹餘糧湯宋板作太一禹餘糧金匱雜
療方寒食散亦用太一餘糧陶弘景曰療體亦相似
蘇恭曰太一餘糧及禹餘糧一物而以精麤爲名爾
乃知古方二物通用也

特1
3432

特1
343 2

古方藥議巻四目次

連軺　生梓白皮
雞子黃　雞子白　雞屎白　雞冠　雞肝
白粉　葱白
人尿　烏梅
蜀椒　當歸
通艸　白頭翁
秦皮　商陸根
海藻　竹葉

Inula britanica L.
var. japonica Fr. et Sav. ヲグルマ
" forma plena Makino. ヤヘヲグルマ
var. linariaefolia Regel. ホソバヲグルマ
var. vulgaris Ledeb. エゾヲグルマ

千瓣者ヲスイシドウ名シベヒグルマ
管咲者ヲクダヲグルマ
千瓣ニテ小ナル者ヲシチヘザキ
一種小ナル者ミヤマヲグルマ
一種ホソバヲグルマ

古方藥議

信濃　淺田惟常識此著

旋復花

〔釋品〕和名於久留万生近道下湿之地春生苗葉似雞兒腸闊長大莖長二三尺六七月開黃花大如錢似菊而單瓣又有千瓣者其種自異

〔釋性〕味鹹温主結氣脇下滿驚悸除水下氣止嘔逆不下食治噫氣利大腸通血脈

議曰旋覆花味鹹温能利痰飲通血脈別録所論至

矣盡矣仲景所用亦不過于此義蓋汗吐下後胸中氣不交挾痰飲則痞鞕噫氣於是與旋覆代赭湯除飲下氣也蘇頌曰胡洽有除痰飲在兩脇脹滿等旋覆花丸用之尤多即本方之意耳唐宋方書治脚氣方中多用之亦除水通脉之義也但旋覆花湯一方婦人門載之則雖主通血脉者余未試之抑門外之揣摩而論恐屬臆斷也故闕疑云

代赭石　赤鉄鑛

〔釋品〕和名波尓伊之尾州濃州遠州北越等生其色濃紫擲之為金聲者為佳此品本出代郡故為

名今船上載来者不知果是觀之其塊大小不齊
其色赤滑微帶紫擊碎有乳形者為良坊間謂之
疣樣代赭石即蘇頌所謂丁頭代赭是也其易碎
無乳形者為劣

〔釋性〕味苦寒主腹中邪氣女子赤沃漏下除五藏
血脉中熱治小兒驚癇疳疾反胃止瀉痢脱精

議曰代赭石味苦寒能鎮虚逆泄水飲故仲師治心
下痞鞕噫氣不除者以旋覆與赭石今人用以治膈
噎甚効蓋為鎮飲泄水之劑故也古方紫丸注云無
真者以左顧牡蠣代之可見其效與牡蛎相近也若

蒜同瓜

夫甄權日華子所謂治吐衂崩中則宜與伏龍肝治嘔止血同類而論焉且至于治脱精及夜多小便則赭石之性重下走導湿以利竅也亦猶古方治精滑遺尿用牡蛎以利下焦湿濁矣又如百合病下後用滑石代赭湯陶氏所謂除五藏血脉中熱者也後世或云赤以養陰血誤矣

瓜蔕

〔釋名〕即刮瓜蔕也邦俗呼為真桒瓜蓋以濃州真桒村出者為佳品故得名其瓜濶二寸許長四寸餘熟則皮色正黄而有光味尤美即是蒜同瓜又

越州生者俗呼鼠真桑與濃州之瓜相似但移他處則形味頗變猶橘踰淮而北變為枳也其蔕越州為優他產為劣

〔釋性〕味苦寒下水吐痰癖黄疸治腦塞熱齆病在胸腹中皆吐下之

議曰瓜蔕味苦寒能引去胸脘痰涎頭目濕氣皮膚水氣黄疸濕熱諸証殆為涌吐之聖品故仲景用以吐胸中寒飲上脘宿食濕熱發黄稚川用以吐瘀血胸痛思邈用以吐痰瘧寒熱子和擴充之以吐一切上焦病也蓋瓜蔕為物極苦極寒稽會賦云瓜曝則寒油煎則冷物性

之異也一撮上舌喉嚨輙戟一剤下咽胸膈忽懣以湧膠痰宿食升斗其力非常山杜衡藜盧參蘆鹽湯諸湧剤之所能及而其奏功之捷勝於汗下所謂汗吐下三大法捨此物將何依乎今人不知仲景以下諸子之精義漫謂瓜蒂性急能損胃氣置之不用於是邪在上焦者填塞無出路遂至於輕病致重重者致死可勝數哉外臺華他療傷寒法曰至四日邪在胸宜藜蘆丸微吐則愈若更因藜蘆丸不能吐者服小豆瓜蒂散因此觀之吐方亦有輕重之分而仲景所用又有寒熱虛實之別如瓜蒂散則屬寒實者也如

梔子豉湯則屬虛熱者也若二方易地其害不鮮世有偶用吐方者未嘗辨寒熱虛實而施之故特標論爾

赤小豆

〔釋品〕和名保古利加都岐以緊小而赤黯色稱豬肝赤者為良若為吐劑生者尤佳其稍粗大而鮮紅稱赤大豆者或淡紅者并不治病僅供食用耳

〔釋性〕味甘酸主下水排癰腫膿血利小便下脹滿去關節煩熱解熱毒

議曰赤小豆味甘酸其效不過于本經所論今推之

於仲師之方如麻黃連軺赤小豆湯則所謂下水者也如赤小豆當歸散則所謂排癰腫膿血者也此方又治先便後血此即臟毒其用赤小豆者不出于排血消毒焉瓜蒂散用之者香豉之苦赤小豆之酸相合以為上涌之佐耳固非其本效也

知母

〔釋品〕和名波奈須介春宿根生苗似菅而有光澤夏抽數莖高二三尺開淡紫花秋結實根如石菖蒲出地上者生黃毛味苦甘滋潤者為良世醫妄貴舶上瘠小輕虛者而不知貴其滋味悲夫

〔釋性〕味苦寒主消渴熱中除邪氣療熱結亦主瘧
熱煩患人虛而口乾加而用之
消中ミ間ミ食数溲

議曰知母味苦寒能清熱以潤燥夫清熱者無潤燥之能潤燥者無清熱之能而知母則兼有之故與百合戮力以清汗後餘熱與石膏相配以潤陽明熱結煩渴及溫瘧百合知母湯白虎湯白虎加人參湯白虎加桂枝湯之所主治可以見已若夫濕邪久在體尪羸而疼痛者與附子相合而制之其意與後世地黃附子並用者相同但虛勞津液枯燥心中憒々然而煩者不假石膏不待附子特與酸棗人蔆合之力

以專事潤燥如桂枝芍藥知母湯酸棗人湯是也乃知得百合則主清熱得人參則主潤燥得石膏與附子則或煩渴或煩疼憂異之制以極其變化也蓋知母性和緩無偏勝故寒熱相通用而莫礙矣李果李時珍概為肺腎二經藥鑿々費之解可謂戾古義也

粳米

〔釋品〕和名宇留古女即是世人常食之米入藥以晚粳為良粳有早中晚而種類甚多性味亦不能無少異然臨急取所常食者可其他籼米旱稻粗穬者勿用外臺溫瘧篇千金白虎加桂枝湯方後云傷寒論云用粃粳米不熟稻米是也

是說恐非

〔釋性〕味甘平止煩止洩和胃氣通血脉温中

議曰粳米味甘平得天地中和之氣以生爲五穀之長故人常食之可以爲津液之根蔕後天之司命雖然伍之於草木蟲石偏性之品則其所主不與朝食暮餐無少異同亦猶生薑大棗充之於菜菓則足以養生供之於藥料則大效於治病也蓋粳米能和胃調中故胃氣不振腹痛煩渴者單服此煮汁可以挽回胃氣濟救津液於是肘後方以粳米一味治卒心氣痛也桃花湯之於腹痛附子粳米湯之於切痛亦

不過于此意。若夫白虎湯之於煩渴，竹葉石膏湯之於氣逆少氣，麥門冬湯之於大逆上氣，則非津液虛乏之極乎？粳米獨處其際，與石膏、竹葉、麥門奏其績者，當是與蕭何在沛中而維持漢之成功者同意而論矣。

生地黃

〔釋品〕和名佐保比女，本邦諸州多出，以城州和州者爲佳。其根肥大多汁。其苗春布地，葉如芥葉，上有皺毛，葉中攛莖，梢開筒子花，半淡黃半淡紫。根長四五寸，大如手指，皮赤黃色，如細羊蹄根。十月收採用時搗汁用其乾者即為乾地黃世醫呼乾地黃為生地黃按乾者即燥乾之謂如乾薑是也生者新鮮之名如生薑是也故古人言生地黃則必指汁而言豈有乾而有汁者哉可謂誤矣

〔釋性〕味甘寒主婦人崩中血不止及產後血上薄心悶絶傷身胎動下血墮墜踠折瘀血留血衄鼻吐血皆擣飲之并解諸熱病人虛而多熱加而用之以上係生地黃主治

〔釋性〕味甘寒除寒熱積聚除痺利大小腸通血脉治驚悸勞劣吐血鼻衄婦人崩中血運以上係乾地黃主治

議曰地黄味甘寒性滋潤凉降為血分之主藥惟因其生乾而效有緊慢之異今徵之於古方如八味丸治虚勞轉胞大黄䗪蟲丸治乾血芎歸膠艾湯治胞阻黄土湯治遠血薯蕷丸治虚勞防己地黄湯治中風三物黄芩湯治蓐勞則皆血虚津涸之證故用乾地黄以漸々復陰液也若欲直通血脉驅血邪則非生者不能達之故炙甘艸湯百合地黄湯皆用生地黄也本經云生者尤良可見生乾同效而生者其力尤緊也後世別製熟地黄以為滋補之神品殊不知地黄專取其性凉而滑利流通若夫熟則膩滯不能流

行故外感未消痰火未除者一槩用之則為害尤甚朱氏丹溪曰胃虛氣弱之人過服歸地等之劑反致痞悶飲食減少変症百出至死不悟豈不惜哉用地黄者不可不識焉

阿膠

〔釋品〕和名介迦波阿膠本以烏驢烏牛皮得阿井水煎成其井官禁真膠極難得故方家代黄明膠黄明膠即用牛皮煎煉者但水非阿井耳今載來皆此物其質堅黄透如琥珀色者堪用本邦產亦同製其色黄明淨皮臭少者可權用若以他獸皮

及敗皮製者止可膠諸物不堪入藥按神農本草名醫別錄阿膠并煮牛皮作之此元用牛皮膠為極當後世用驢皮煮造者却謂之上品誤矣

〔釋性〕味甘平主內崩下血腰腹痛四肢酸疼虛勞羸瘦欬嗽和血滋陰除風潤燥化痰利小便調大腸

議曰阿膠味甘平能滋潤血液與地黃同為血分之要藥故仲師用阿膠不伍地黃則配于麥門皆以滋潤為宗也夫炙甘草湯之於心動悸與肺痿虛勞芎歸膠艾湯之於漏下下血腹中痛黃土湯之於下血

吐血衄血白頭翁加甘艸阿膠湯之於下利虛極皆血脫之候也黃連阿膠湯之於心中煩而不得臥猪苓湯之於心煩而不得眠皆血虧之候也又如大黃甘遂湯與溫經湯則皆主血分而一以爲水氣與甘遂配一以有煩熱與麥門合也可見阿膠配之於猪苓澤瀉滑石則瀉瘀熱於小便配之於大黃甘遂則下瘀血於大便配之於黃芩黃連則清瘀熱於中位配之於甘草黃蘗秦皮白頭翁則清瘀熱於下部配之於當歸芎藭地黃芍藥朮附子黃土則遏血崩其所主雖區而別要之不出于一血症也是豈非獸皮之屬

血分而其用在斯哉諸家或遺其物徒論其水曰阿井乃濟水伏流其性趨下用攪濁水則清故治瘀濁及逆上之疾也惟徐氏靈胎曰皮皆能補脾脾為後天生血之本而統血故又為補血中之聖品此說雖奇稍近理

麥門冬

〔釋品〕本邦所產有大小三四種大者葉如建蘭有縱文俗呼藪蘭小者葉如韮俗呼蛇鬚一種俗呼老翁草者葉初生時純白可愛既長似白髮故名焉其功用皆同出藝州者少潤紀州者圓大白色

多脂液此為好又船上来者皆陳久少潤不若此邦新掘鮮者

〔釋性〕味甘平主心腹結気胃絡脉絶羸瘦短気客熱口乾燥渇止嘔吐下痰飲治肺痿吐膿

議曰麥門冬味甘平瀉熱潤燥止欬下氣其效與五味子相近而五味子徒潤上焦之燥熱麥門冬泛之于血分是以生津之功有廣狹之別矣蓋如竹葉石膏湯之於大勢解後麥門冬湯之於勞復及肺痿薯蕷圓之於虛勞則皆因津液缺乏虛邪乘之故石膏柴胡人參當歸清解滋潤相兼以制之者也如炙甘

草湯之於脉結代及肺痿溫經湯之於婦人瘀血則皆係血弱津枯脉道及血海不能流暢故麻仁牡丹地黄阿膠相參以清血熱振津液者也可見麥門冬性滋潤清利血脉之藥其用雖廣矣不過于去邪扶正之策也後世漫認復脉生脉等方而為虛脫挽回之主藥抑仲師別有通脉四逆湯之設膚冷脉絶豈一麥門之所能得而任哉

麻子人

〔釋品〕和名於乃美麻即大麻人是實中人也寇宗奭曰仲景麻仁丸即是大麻子中仁也是也大麻

農家種之莖直上五六尺葉似五加葉而狹即續其皮以為布此品有雌有雄雄者不結子名枲麻俗呼為波奈阿佐雌者結實名苧麻俗呼為美阿佐邦產唯一種無異類

〔釋性〕味甘平復血脉潤五藏治大腸風熱結澁及熱淋

議曰麻子人味甘平能滑利以潤燥故麻人丸主之以治便難炙甘草湯治脉結動悸又治癯勞肺痿皆取潤滑大腸結澁血脉枯燥之義陶弘景曰復血脉蓋本于炙甘草湯而言也夫麻子潤利非溫補之品

而辟穀家以之為司命本經亦云補中益氣恐道家無稽之妄談誤混入耳又其花名麻勃陶氏曰麻勃方藥少用術家合人參服之逆知未來事吁是何言麻勃有毒服之使人狂走不止已忘目前事何况未來乎陶氏謬言恐誤蒙昧故併駁之云

清酒

〔釋品〕和名幾左計清酒即對濁酒而言又稱醇酒無灰酒其味甘辛色如琥珀者良凡本邦酒冠于萬國而丹釀最為絕品堪入藥寇宗奭曰今入藥佐使專用糯米所造為正按本邦所造多用粳

功力和厚、勝餘酒、蓋粳生本邦者為優、生漢土者為劣、故造酒用糯也、

〔釋性〕味甘辛、通血脉、厚腸胃、潤皮膚、散濕氣、除風下氣、行藥勢、殺百邪惡毒氣、

議曰、清酒是對濁酒之稱、凡酒之澄清者、其氣輕揚、其味淡辛、能扶陽氣、以發于一身之表、故和藥則有行藥勢通血脉之力、是以炙甘草湯用以散脉之結代、麻黃淳酒湯用以解黃、鱉甲煎用以除瘧癥、芎歸膠艾湯用以和血、下瘀血湯用以行瘀、其他八味丸土瓜根散赤丸天雄散皆以酒服之、奏效、酒之為用

抑亦大美玉好古曰用為導引可以通一身之表至極高分今驗頭項諸疾及瘡疥瘧疹等方中用之甚效又足以見酒之運用矣蓋酒與飴皆用米蘗而酒以釀導為用飴以和潤為體用藥之理不過于此而扁鵲傳云其在腸胃酒醪之所及也酒之由來亦為尚矣

附　醇酒

按醇酒乃美清酒麻黃醇酒湯云以美清酒煮漢書師古注醇酒不澆謂厚酒也蓋厚酒者酒之美者故曰美清酒耳其功用同清酒是以不別贅

滑石

〔釋品〕和名也錢也万伊之生備州八木山故名焉肥後州越前州河州紀州信州石州亦有之蓋此物以其質滑膩名之故色白質軟光滑者皆可用若夫市肆所謂水飛滑石者殆脫滑膩不可供藥用舶來亦有數種須要其狀光白如凝脂而軟滑者黃色若青白若青赤若青蒼若青黑者不堪用止熨油污衣耳

〔釋性〕味甘寒利小便止渴除煩熱心躁蕩腸胃中積聚寒熱能療五淋

議曰滑石味甘寒以質為治凡石性多燥而滑石質尤滑潤能通利腸胃去水解熱周禮云以滑養竅鄭玄曰滑石也凡諸物通利往来似竅可以徵焉今觀仲師所用專止煩渴利小便其效與栝蔞根髣髴然栝蔞滑利專主津故主渴而客小便不利滑石雖滑潤素石藥以通利腸胃為任故主小便不利而客渴也蓋雖小便不利煩渴仍有表熱則桂朮發表以利水如五苓散是也若夫陽明之小便不利少陰之心煩下利百合之發熱淋之液乏苟屬裏燥則阿膠蒲灰百合白魚相依潤裏以利水是其燥潤之較然者

而與栝蔞之伍桂柴者固不同其旨也猪苓湯百合滑石代赭湯百合滑石散滑石白魚散蒲灰散之所主可以見耳李時珍不辨此義漫認爲蕩熱燥溼之劑可謂昧古方矣

猪膽　附猪膚　猪膏　猪骨

〔釋品〕和名市多取其膽大者入藥故曰大猪膽此物西土家畜以充常食是以論中曰猪膽汁者取用生膽絞汁之謂也本邦自古但西肥人畜之耳故膽至少便出市間者皆乾膽用時須直取乾膽以諸藥汁和服又市人以野猪膽充之誤矣

〔釋性〕大寒主骨熱勞極傷寒渴疾小兒五疳殺蟲

議曰猪膽味苦寒能潤燥通氣故白通湯四逆湯證而津液已乏元氣頓蹶血脉將絶者加此品以救之蓋猪膽性寒非善補之即潤燥通氣以達諸熱藥之力殆是回陽之中兼寓和陰之意者也諸家一以熱因寒用無格拒之患爲説似未窮仲景之精義矣又按如猪膽導雖屬外治亦不過于潤燥之意汪昂曰沐髮去膩光澤可以徵焉

議曰猪膚者猪之淺膚也王好古以爲猪皮吳綬以爲燖猪時刮下黑膚二説不同今考禮運疏云華膚

内厚皮也膚革外厚皮也吳説為得之夫膚者肉之
餘也能潤燥除煩故與白蜜白粉相和以制少陰咽
痛下利也
議曰猪膏者猪油也凡釋者為膏為油凝者為肪為
脂故脂與膏宜以凝釋分之膏能利血脉通小便是
以猪膏髮煎治諸黄及陰吹也猪脂蠻名末无夭伊
加寒中收者鮮白無腐臭故臘月豬脂為佳本草云
入膏藥主諸瘡是以治疳蟲蝕齒方用之乎余未試
之
議曰金匱食諸果中毒治之方猪骨燒過末之水服

按本草猪膏解班猫芫青毒蓋骨亦其類故能解諸果毒也、

苦酒

〔釋品〕和名幾須味嚴酸美温者良又有長生醋法俗稱萬年醋又有以糟及敗酒造者允帶醭臭或氣味緩者並不堪入藥按本草醋有數種此邦市間唯為(有允)米醋耳

〔釋性〕味酸温消癰腫散水氣破血運除癥塊堅積消食

議曰苦酒醋也其味本酸温而古人稱醋為苦酒者

蓋取之於其氣苦澁凡苦澁者能有開氣消散之效
別録云消癰腫散水氣是也仲師所用如苦酒湯之
於咽中傷生瘡黄耆芍藥苦酒湯之於黄汗皆取義
於此者也又如烏梅丸則上熱下冷正是膈氣鬱結
劇者故以烏梅浸苦酒中一宿用之取其酸勝也寇
宗奭曰産婦房中常得酸氣則為佳酸益血也余謂
非益血亦開散血迷耳諸家不解此義漫謂苦酒味
酸氣澁能收斂殊不知苦酒飲之令人開胃氣嗜食
又外傳散癰腫除痛所謂收處即是散處何相戾之
甚耶又按黄耆芍藥桂枝苦酒湯方後云一方用美

酒醯代苦酒魏氏曰美酒醯即人家々製社醋是也亦即鎮江紅醋醋之劣者即白酒醋皆是總以社醋入藥是亦同類功效粗近故代用已大猪膽汁導方云法醋今閲諸本草無所稽蓋如法造釀之醋乎雖未可的知要之亦不過于閲達之意成本無法字似可從夫苦酒之為味醋嚴而氣烈者遽飲則或噎或煩故苦酒湯云少々含嚥之黄耆芍藥桂枝苦酒湯云若心煩不止者以苦酒阻故也是亦不可不知者矣

茵蔯

〔釋品〕和名称須美與毛岐山野多有與青蒿相似

青蒿葉背面倶青夏開黄花大如麻子茵蔯嫩葉白色稍葉如細縷而深青秋開白花大如芥子遇冬莖梢枯尋復發葉其発因陳幹故名茵蔯陳藏器曰後加蒿字青蒿至秋苗根倶枯是為異也

〔釋性〕味苦平熱結黄疸小便不利去伏瘕

議曰茵蔯味苦平能通利瘀熱為黄家之主藥故仲師以此物配梔子大黄使胃中瘀熱鬱而不解者導以洩之若熱蔚未實而発黄者合豬澤苓朮以清利之蓋因滲之輕重而有前後分利之異耳本經云主風湿寒熱邪氣熱結黄疸別録云除頭熱陳藏器曰

去滯熱日華子曰治天行時疾熱狂後世以為傷寒清熱之品乃知茵蔯之治発黄以能除瘀熱鬱蒸也若夫陰黄者寒湿或亡血之所為其色煙熏又非橘子色之比豈茵蔯清熱之所宜哉韓祇知李思訓之徒一概以茵蔯配附子治陰黄可謂昧藥性者矣

呉茱萸

〔釋品〕和名加布天古布良本邦諸州有之木高丈餘晚春生芽葉似胡桃而厚夏発小緑花結子若秦椒而蔟生秋熟採之此物漢土始出呉地故稱之本邦亦有漢種形状相同但其子少小耳然其

效不如船来粒緊小味苦辛無青臭者
〔釋性〕味辛温主温中下气止痛開鬱化滯除嘔逆
藏冷治呑酸痰涎頭痛
議曰吳茱萸味辛温能散寒下氣利血分仲景之方
槪不過于此三者吳茱萸湯曰食穀欲嘔又曰嘔而
胸滿又曰乾嘔吐涎沫頭痛曰吐利手足厥冷九痛
丸曰心痛又曰卒中惡腹脹痛口不能言又曰冷衝
上气是皆下气者也當歸四逆加吳茱萸生薑湯曰
内有久寒是乃散寒者也此二症濁飲之所致東垣
李氏曰濁陰不降厥氣上逆膈寒脹滿非吳茱不可

治是也、温經湯曰、瘀血在少腹不去、九痛丸曰、落馬墜車血疾、此皆利血分者也、而利血分之效、諸家置而不論、獨日華子曰、下產後餘血、千金方柴胡湯呉茱萸桃人並用以治產後往來寒熱惡露不盡、可以徵焉、蓋呉茱萸之為物、與人参薑棗伍則下氣除飲、與當歸細辛巴豆附子配則散寒除痛、與牡丹阿膠合則温瘀血、其他得桂枝泄奔豚、得木瓜治脚氣衝心之類、依物極變化者也、偉哉茱萸之為效、乃驅陰之捷方、救急之靈品也、

蘗皮

〔釋品〕蘗皮即黄蘗俗作黄柏和名岐波多其樹高二三丈春生葉似吳茱萸而狹夏枝上開細黄花後結小圓實有五稜木曾山中出者皮厚而深黄入藥爲最出他州者肉薄而色淡即本草原始所謂山黄柏也

〔釋性〕味苦寒主結熱黄疸止洩痢治蚘心痛鼻洪腸風瀉血

議曰蘗皮味苦寒清湿熱故仲師梔子蘗皮湯大黄消石湯白頭翁湯用之以治黄疸熱利也又本經載腸痔赤白漏下陰蝕瘡等主治蓋此諸疾屬湿熱者

多故也夫蘗皮以能清熱其效與梔子黃連相近故亦每相依奏效然細論之黃連性守而不走能得黃芩止腹痛癒下利若為末外傳止金創失血蘗皮性燥而寒降泻湿濁及腸胃之結熱而與梔子之專行于上焦利小便者少異其位也若夫湿熱內壅甚腹滿小便不利者不兼投蕩滌下奪之品則難以退黃於是乎藉消石以逞其力消石亦火性主燥所以與蘗皮相依奏效也其他如烏梅丸及崔氏黃連解毒湯連蘗並用者其意專在清熱後世不解此義以知母黃柏為補腎藥者誤矣

連軺

〔釋品〕本邦連翹有二種一種枝條軟弱長者丈餘附物而下垂葉如榆葉邊有鋸齒春開黃花可愛者子至少俗呼為都當連翹一種枝幹高起者結實甚多至其花葉與都當連翹同實似椿實之未開者兩片相合作房蓋翹本鳥尾以草子拆開其間片々相比如翹得名也按連軺千金及翼并作連翹郭璞爾雅連異翹疏云一名連苕又名連草陸璣詩音苕疏云苕苕饒也幽州人謂之翹饒據之苕軺翹音通連軺即連翹郭疏確可徵傷寒論

原注云連翹根誤矣

〔釋性〕味苦平主癰腫結熱小便不通散諸經血結氣聚消腫止痛

議曰連軺味苦平能散結熱其功與柴胡相似而輕宣散結之力則優矣故仲景用以治瘀熱発黃蓋麻黃連軺赤小豆湯與茵蔯蒿湯相表裏則雖均在瘀熱其屬輕宣散結可知耳又治鼠瘻瘰癧癰腫惡瘡癭瘤蓋腫而痛者為實邪腫而赤者為結熱連翹能疏其實邪而散其結熱是以後人為瘡家聖藥而麻黃連軺赤小豆湯亦至嚴用和遂變化為湿家瘡疥

内攻膧之方用者宜極其源而知其流矣

生梓白皮

〔釋品〕和名阿迦女加之波樹高一二丈枝葉類楸春生新芽紫赤色遠望如花葉間出穗四月開淡黄花結實大如豆粒殻有軟刺不似楸結角如裙帯豆根外褐色裏白質柔韌而有力其皮甚易剝臨用新取凡論中云生者皆謂臨用新取之也

〔釋性〕味苦寒主熱毒吐逆胃反

議曰梓白皮味苦寒能瀉熱故麻黄連軺赤小豆湯連軺梓皮並用以解瘀熱也其生用者與生地黄同

意貴清涼之力特夥耳金鑑云無梓皮以茵蔯代之可謂不知藥性者李中梓以桑白皮代之反似優矣

雞子黃　雞子白

〔釋品〕雞子黃即雞卵去白留黃也又有去黃取白者謂之雞子白按本草黃雌者為上烏雌者次之宜擇新生黃白不混中黃如珠者莫用經久敗壞及蝦子者

〔釋性〕味甘平鎮心補血清咽開音散熱定驚止嗽止利　以上係雞子黃主治

〔釋性〕味甘微寒療目熱赤痛除心下伏熱止煩滿

欬逆破大煩熱以上係雞子白主治

議曰雞子有黄白之分黄則其味甘厚能和氣血除煩熱白則其味淡薄生肌膚亮聲音是以黄連阿膠湯百合雞子湯排膿散並用黄取其和血除熱也古人曰與阿膠同功仲景亦二品並用足以見其效用矣苦酒湯特用白者取其生肌亮聲也殆是與後世治金創及湯火燒以雞子白塗之者同意

附 雞屎白　雞冠　雞肝

〔釋品〕直解云白者雄雞所便也

〔釋性〕徹寒破石淋及轉筋利小便消癥瘕滅瘢痕

議曰雞屎白氣味腥涼能通脉絡是以雞屎白散治轉筋也朱震亨曰轉筋屬血熱蓋此物以津液之餘滙能涼解血熱通導轉筋故耳素問治鼓脹以雞屎醴乃知亦有破血之功不特解血熱也

〔釋品〕雄雞冠三年者良雞肝雄雞者良

議曰雞冠及雞肝金匱唯吹内鼻中或塗面上以救卒死耳及後世其功用最廣学者當就後方書而講究焉

白粉

〔釋品〕白粉即白米粉劉熙釋名云粉分也研米使

分散也徐氏曰古傳面亦用米粉是也猪膚湯曰煎如薄粥可以見耳本經逢原以為鉛粉太誤辨詳于雜病論識

議曰白粉味甘平其氣全同粳米而粉之者專在使諸藥泥戀于心胸而奏其效猪膚湯之於咽痛粉蜜湯之於心痛皆然豈非與粳米少異其所主乎但如大青龍湯方後所載温粉則係一時救汗之手段固非此旨也張思聰曰粉為中土之穀而四散熬香若稼穡作甘其臭香分温六服者温煖經脉而分布上下四旁土氣充盛則三焦之氣外行肌腠而内通經

豚美此説雖有一理恐過鑿

葱白

〔釋品〕和名稱木葱白謂葱莖白也葱有數種稱木即鎮江府志所載青葱莖葉粗大味甘氣猛烈以為葱中佳品我西州謂之於保祢木入藥最良按本草載冬葱漢葱不載青葱蘇恭曰食用入藥凍葱最善凍葱和名和介木然試之不若青葱

〔釋性〕味温平通氣止血達表和裏利小便治霍亂轉筋及賁豚氣脚氣心腹痛目眩及止心迷悶

議曰葱白味温平能發陽通氣故四逆湯方中去甘

草加蔥白名白通湯以通暢陽氣也通脉四逆湯曰面色赤者加蔥九莖亦同義周處風土記云月正元日五熏鍊形注云五辛所以發五藏氣宗懍荆楚歲時記云莊子所謂春月飲酒茹蔥以通五藏也是也成無已曰蔥白之辛以通陽氣為得古義

人尿

〔釋品〕即小便也日華子以下諸本草皆用童便仲景方惟稱人尿而不云童便別錄云童男者尤良乃知人尿不必用童便只不若童子便清徹如水者之尤佳耳按飲自己溺者名曰輪廻酒是亦恐

非所宜矣

〔釋性〕味鹹涼潤肌膚心肺療血悶熱狂撲損瘀血運絶吐血鼻洪

議曰人尿即白通也故仲景有白通湯之稱蓋白通之於人尿桃花之於赤石脂皆以主藥名者也夫下利亡津液乾嘔煩者雖屬亡陽之證而薑附剛燥之藥單走則恐併其將絶之陰以隔絶之也於是乎人尿之潤涼以和剛燥之性奏績於無何有之鄉苟非醫聖孰能極此妙用哉方龍潭曰童便能使陰與陽合血氣和平可謂知藥性者後世專用童便以治吐

血血暈脚氣衝心亦不外乎此意矣又金匱治馬墜及一切筋骨損方用人尿蓋此物潤涼和氣血故能療打撲也褚澄曰喉有竅則咳血殺人腸有竅則便血殺人飲溲溺則百不一死是亦治血之一徵可採以補古方之遺也

烏梅

〔釋品〕和名布須倍宇女釆青梅或半黄梅於竈突上以烟熏之者也深黑色味極酸者佳又有白梅功能畧同之則代用之按白梅即塩梅對烏梅立名者或誤為白花梅實非也寇氏曰爊之為烏梅曝乾藏密器中為白梅此亦一說

〔釋性〕味酸平主下氣除熱止下痢好唾口乾去痰止渴吐逆蚘厥

議曰烏梅味酸平能收斂順降故制蚘蟲止下痢烏梅丸所用可以見耳蓋烏梅味極酸而更以酸醋浸之一宿則酸制蚘之義較然而又主久痢則其意全在酸收而不徒治蚘也今人唉烏梅及白梅解舟嘔逆注亦足以徵收斂順降之功矣

蜀椒

〔釋品〕此本蜀川所產故曰蜀椒又曰川椒椒樹本邦所在有之而稱浅倉山椒者與此同出但州浅

倉故名烏丹州亦有之其葉大無針刺粒與秦椒同而粗大凡裏面白氣香味烈者良他州出者皆秦椒實小味短僅可以補闕

〔釋性〕味辛温温中下氣破癥結開胃主腹中冷而痛

議曰蜀椒味辛温能開胃温中是以與乾薑白术相配以奏功大建中湯白术散所以主之也小品方以蜀椒乾薑增入于附子粳米湯治寒疝氣心腹刺痛可謂不失古義矣若夫與烏梅相合則不唯開胃温中又能制蚘蟲蓋胃中冷則蚘動蚘動則諸症變出

椒梅二味酸辛相併殊得節制之宜是故烏梅丸用此二味而後世理中安蚘清中安蚘諸湯所以取範於此也世醫概為制蚘之品者非矣

當歸

〔釋品〕和名也末世利本邦所在有之春生苗莖紫色高二三尺葉類芹葉而有光澤經年者至秋起臺開小黄花其自生者根似桔梗而皮緊黒色味苦辛芳烈此李氏所謂鑱頭歸今多出于江州伊歙山家生者根肥潤多尾肉黄白味甘微苦此陶氏所謂馬尾當歸俱可任用按孫思邈曰無當歸

以芎藭代之今試嘗和州當歸其氣味不似芎藭伊歙當歸則似之古之所用果是乎書以俟後考

〔釋性〕味甘温主欬逆上氣婦人漏下心腹諸痛潤腸胃筋骨皮膚温中止痛

議曰當歸味甘温主滋潤通和故每與芍藥芎藭相配以奏績當歸建中湯當歸芍藥散奔豚湯當歸生薑羊肉湯皆有腹中痛證而當歸爲之主亦足以窺其一斑矣蓋當歸以通閉順氣能使氣血各有所歸故當歸四逆湯當歸貝母苦參丸烏梅丸升麻鱉甲湯等方中藉此物以爲通陽和陰之用如芎藭膠艾

湯温經湯當歸散則專走于血分以滋潤之効者也當歸又能去舊生新故有排膿之功是以赤小豆當歸散治膿已成者後世癰疽方中專用之者或濫觴于此若夫侯氏黑散續命湯之所配則風藥中藉此物不唯去風利竅能令陰氣通耳後人概為補血養血之藥者抑末矣况於頭尾分用乎

通草

〔釋品〕今木通也和名阿介比迦都良藤蔓長大故以草稱木通蘇頌云古方所用通艸皆今之木通是也後世方書以通脫木為通草者誤矣此物迹

道處々有之莖有細孔相貫吹之口氣便通一枝五葉四月開花淡紫色其藤經久者結實形如野木瓜而長食之味甘美俗呼為肉袋子市所貨即真也西船所齎恐是葡萄根不堪用

〔釋性〕味辛平通利九竅血脉關節利小便主水腫浮大除煩熱

議曰通草味甘平能開血脉利寒熱不通之氣是以當歸四逆湯用此品以治手足厥寒脉細欲絶者蓋此證係于伏熱傷血血脉澁滯見厥寒故與桂枝當歸細辛為伍而奏効所謂通可去滯是也諸家不解

此意或改作四逆湯加當歸，又至其甚者一概抹殺，去今以農經主治參之，則其義粲然，孰謂非古方乎？但利小便治淋之功，農經并名醫別録未論及，至於甄權、日華子始闡發之，宋元方書一宗之，而通草遂為利水之設，惟古方主開通而不主利水，古今用藥之變者可以見已。

白頭翁

〔釋品〕和名於木奈久佐，本邦諸州山野甚多，春生苗布地，其葉似防風而有毛，三月抽數莖，高尺許，開花下垂莖梢，狀如貝母，花瓣外有白毛裏之，漸

仰始見紫赤尋便瓣落但存紫蕋蕋漸變白披下
正如人被白髮故名曰白頭翁和名亦此意耳七
八月採根水洗曝乾用

〔釋性〕味苦溫逐血止痛療毒痢

議曰白頭翁味苦溫能清熱逐血故仲師治熱利以
白頭翁爲君以秦皮黃連蘗皮爲佐産後虛極者更
加阿膠甘艸蓋熱利必腸垢膿血下重白頭翁能清
熱逐血故也吳綬曰熱毒下痢紫血鮮血者宜之本
經曰逐血止痛易簡方云痔腫痛野丈人以根搗塗
之逐血止痛可以徵耳張思聰曰白頭翁與柴胡同

類柴胡中撿根上有白茸者是本經主治溫瘧功用與柴胡相同朱光被曰白頭翁即柴胡之頭最解陽明血分之熱兼可升少陽之清氣使不下墜二氏說雖似有理然白頭翁之主熱痢茵蔯之主黃疸黃耆之主水溼自有一定之能徐靈胎所謂藥有專長者不可以柴胡之類概論之也

秦皮

〔釋品〕秦皮和名止禰里古本邦北地甚多秦皮即秦樹之皮也入藥以其皮味苦浸水便碧色書紙亦青色者爲真水不碧味不苦者僞也

〔釋性〕味苦微寒主風寒濕痹除熱明目治熱利下重

議曰秦皮味苦寒能清熱利竅故淮南子以為治目要藥仲景氏以為熱利主劑其意皆不過于清熱利竅也後世固執苦以堅之之語妄謂秦皮能收斂下焦吁何甚仲師已不言乎下利欲飲水者以有熱故也裏熱一收斂之則致害匪輕豈可與下焦虛脫之利同日而論哉金匱云下利虛極若白頭翁加甘艸

阿膠湯主之夫精氣萎薾不振則裏熱愈不除下利益窘迫故清熱中加此二品以緩其窘迫也学者察諸

商陸根

〔釋品〕和名也万古保宇山林所在有之葉大如烟草葉而短無毛夏開白花結實生青熟黒根如蘿蔔而大

〔釋性〕味辛平主水脹疼胸中邪氣痿痺腹滿洪直

議曰商陸味辛平能瀉水氣故本經云主水脹別録云直疏五藏散水氣甄權曰瀉十種水病日華子曰

通大小腸仲師牡蛎澤瀉散所用亦不過此義耳東壁李氏曰與大戟甘遂異性而同功胃氣虛弱者不可用蓋商陸不能無毒然比之於戟遂則有大優劣是以仲師大病差後亦用之而與陷胸十棗其效更隔絕矣近世治水氣者概以商陸大麥赤小豆為餌食雖虛家未甚深害時珍雖博洽之士於古方則畢竟門外之漢耳按陶弘景曰方家不甚乾用療水腫切生根用今試之乾用更無功不可不知蘇恭曰有赤白二種白者入藥用赤者見鬼神甚有毒此邦間有赤者野人不辨之煮食則吐利厥逆困悶欲絶是

亦不可不選、

海藻

〔釋品〕和名保多和良諸州海中多生其形如短馬尾細黑色故曰馬尾藻出于雲州者尤佳又有黄黑色者葉短細、實大如米粒又有大葉藻和名毛波形如菖蒲葉淡黑色海藻有數種只此二品可入藥、

〔釋性〕味苦寒破散結氣下十二水腫常食之消男子癀疾、

議曰海藻味苦鹹能泄熱利水故牡蠣澤瀉散方中

用之以治差後腰以下有水氣者也晉唐以降專治癭瘤馬刀諸瘡堅而不潰者蓋海藻與海帶昆布同功大都寒能泄熱苦能推實鹹能軟堅茲三藥氣味相近故血氣不行邪氣乘之爲癰腫堅硬不潰者得之可消雖有古今用藥之差要之各隨其所配而使邪氣自小便出耳

竹葉

〔釋品〕竹有數種入藥惟用淡甘篁苦四種淡竹和名波知久甘竹亦淡竹之屬篁竹和名迦之呂太介即淡竹之皮白如粉者苦竹和名万多介淡篁

苦三種人家多栽之凡用竹葉遇四竹之缺則諸竹可通用其性味大略相似猶海藻數種其功不甚相遠也舊說以升餘者不可入藥拘矣

〔釋性〕味苦平主欬逆上氣除煩熱消痰止渴治嘔噦吐血

議曰竹葉味苦平能清虛熱降逆氣故竹葉石膏湯與石膏相配清餘熱與麥門冬同滋内燥挾半夏逐水飲而下氣與粳米甘草人蔘戮力和胃中生津液是正大勢漸解之後餘焰未平非剷攻峻補之所宜故清解滋養相兼行之也如竹葉湯亦係産後血液

虛之加以風熱津燥將發痙故與附子人蔘葛根並
行以救之也其他晉唐方書所用或治欬喘或止消
渴或治中風驚癇皆不出于此範圍焉或曰其根亦
療煩熱消渴功勝於竹葉方書多用蘆根茅根葉而
遺此根不思之甚按日華子已并根論其能適程曰
同葉煎湯洗婦人子宮下脫試之而可矣

特1
3432

特 1
343^2

古方藥議卷五目次

蘆根
薤白
橘皮
大麥
黄土
蘇葉
蛇床子
地漿

瓜瓣
白酒　真珠　羊肉
消石　赤消
艾葉　熟艾
葵子
紅藍花　新綿
大豆　豆黄卷
漿水　清漿水　醋漿水

升麻　射干　以上六味當移在上
竹茹
以上金匱玉函要畧方藥本百三十三種今選録
三十八種

古方藥議

信濃　淺田惟常識此著

薏苡人

〔釋品〕和名止宇无岐一名弘法麥傳云僧弘法之所齎来春生苗莖高三四尺葉長狹如川穀狀夏開黄白花作穗至秋結實實狹長而殼薄可指破出城州和州藥舖或以川穀穢米混之不可不擇

〔釋性〕味甘寒生筋脉拘攣風湿痺下氣利腸胃消水腫清熱主肺痿肺氣吐膿血

議曰薏苡人味甘寒能開痺閉排瘀血夫胸痺者痺之尤高者也至其劇則心胸痺塞真陽不達危急何加也於是以薏苡之開痺為君以附子之回陽為佐而驅逐之則頑痺席卷而下心胸得快豁矣若其痺在四肢關節則麻黄杏人戮之力發陽利氣以解風湿而諸証脱然矣是因其所配而異其所主者也又如薏苡附子敗醬散之治腸癰葦茎湯之治肺癰則不唯氣血痺閉遂畜瘀釀膿者也於是或配附子敗醬或合葦茎桃人擅開閉之力以排瘀血者也按本經有主筋急拘攣不可屈伸語而古方小續命湯注

云中風拘攣語遲脉弦者加薏苡人是說一起而後醫人唯知風痺筋急為表分之用而不審其實開痺排膿為裏分之用如李時珍概為扶脾抑肝之品後益與古義背馳後学妄參仲師諸方而後辨知薏苡之功效矣

防已

〔釋品〕和名都々良布知苗葉似女青而有毛莖梗柔軟可以縛物破之文作車輻解狀與木通相似氣吹亦貫兩頭按本草防已有漢木二稱諸注紛紛無定說而太平御覽引本草經曰木防已生漢中川谷千金方熱痢陟釐丸方中亦云漢中木防

已乃知木防已一稱漢防已其意猶蜀椒川芎辰砂代赭之類也朱倪曰以漢中者為勝故方書稱漢防已吉益為則曰木防已出漢中者謂之漢防已譬如漢朮遼五味子也後世岐而二之其莖謂之木防已可謂誤矣二說可從或曰仲景氏用木防已以療膈間支飲者蓋取之於其莖之高也又用漢防已以治四肢及腰下水腫者取之於其根之卑也是為陳氏漢者堪捧腹

〔釋性〕味辛平除邪利大小便通腠理散癰腫惡結減脚氣瀉血中湿熱療風水氣要藥

議曰防已味辛平能利水去湿是以得黄耆桂枝治

風湿汗出得防風地黄治血中之風湿得茯苓治皮水四肢腫皆主表者也防已黄耆湯防已地黄湯防已茯苓湯之所主可以見矣又得石膏芒硝治膈間支飲得葶藶大黄治腸間水氣皆主裏者也木防已湯及去石膏加茯苓芒硝湯已椒藶黄丸之所主可以見矣是豈非其效亘表裏哉蓋防已之為物理解通氣故疏腠理而闢壅滯性亦有毒驅逐之力更峻是故仲師用防已不論表裏不分三焦苟有水氣者皆用之以驅逐但因其配合而異其所主耳後世概為下焦湿熱藥上焦氣分者一切禁用可謂不解古方

之旨者矣

黄蓍

〔釋品〕和名也波良久佐本邦諸州山谷有之其苗一根作叢直上三四尺葉似苦參而有毛七月開花黄白色形如小豆花實作莢子長數分根及二尺以上此綿黄蓍之類今多出于和州宇陀故呼為大和黄蓍又有其苗無毛軟仆如藤蔓者生城州加州信州諸山其根堅硬味甘微帶苦是蘇頌所謂木蓍也不堪用凡選黄蓍取西舶所來貨内理中黄外白味甘美而柔韌如綿者為優按黄蓍

有綿木二品謂其軟者爲綿謂其硬者爲木綿即
對木字言其柔軟者猶綿大戟綿地榆之綿陳承
以爲地名誤矣又陶弘景以白水蓍與赤水蓍爲
異鑿々乎辨其冷温而日華子從爲之唱可謂拘
泥之甚

〔釋性〕味甘微温排膿止痛長肉補血止渴腹痛治
虚勞自汗去肌熱及諸經之痛

議曰黄蓍味甘温能實表其功與桂枝相似而桂枝
則燥熱黄蓍則滋潤二物氣味相反而相合則亦能
達于肌表以去黄水和痺閉如桂枝加黄蓍湯黄蓍

桂枝苦酒湯是也又併之於防已茯苓則壯表氣以利水濕如防已黄耆湯黄耆茯苓湯是也但其達表利水又與麻黄相似雖然黄耆之水從内而在下故曰身體曰四肢曰下重麻黄之水從外而在上故曰一身曰面目黄耆之水汗出麻黄之水無汗是為異耳又得麻黄附子達于骨節以和痛如烏頭湯是也蓋黄耆性素和緩非得燥熱之品則不能逞力是故毎配桂枝朮附子以奏其效也至於黄耆桂枝五物湯以治身體不仁黄耆建中湯治裏急則滋潤之最著者也如後世併之人參主補益則人參亦以主滋

潤故也日華子曰藥中補益呼為羊肉陳嘉謨曰人参補中黄耆實表良有以也按本經曰癰疽久敗瘡排膿止痛瘍醫据之以為托膿之要藥亦足以見實表之一端矣

鼈甲

〔釋品〕和名迦波加女一名止呂迦女俗呼為須都保牟處在川澤多有其形類龜而扁夾尾短背青黒色無文理腹滑白色雷斅曰凡使要綠色九肋多裙重七兩者為上世俗呼瑇瑁甲為鼈甲者誤也

〔釋性〕味鹹平主心腹癥瘕堅積寒熱去痞療溫瘧

議曰鱉甲味鹹平能消熱毒破癥結故瘧母積聚非此不能除鱉甲煎丸所以通治二證也如升麻鱉甲湯之於陰陽毒則取之於消熱者也本經云主堅積寒熱藥性論云除骨熱骨節間勞熱結實擁塞後世治骨蒸勞專用之者蓋本于此要之鱉甲之效不過于消熱破堅之義矣

牡丹

〔釋品〕和名布加美久佐今通名春生芽葉似防葵而濶大三月開花勝芍藥一等時珍曰以色丹者

為上雖結實而根上生苗故謂之牡丹其花似芍藥宿幹似木也群花品中以牡丹第一芍藥第二故世謂牡丹為花王芍藥為花相是也凡選根皮取人家所種不加糞壤者為佳今出和州城州者堪用或曰今牡丹即唐以降物非古牡丹本邦深江輔仁本草和名所援引可以徵焉

〔釋性〕味辛寒除癥堅瘀血療癰瘡通月經消撲損治腰痛除煩熱

議曰牡丹皮味辛寒能走血分散諸結故仲師治瘧母及積聚鼈甲煎丸治腸癰大黄牡丹湯治癥痼桂

枝茯苓丸治瘀血溫經湯治少腹不仁及轉胞八味
丸等皆用此品也蓋牡丹與芍藥其性頗相近而芍
藥主斂牡丹主散故其效有和血散血之異亦猶當
歸與芎藭同主血一以味勝一以氣勝其功自異矣
惟八味丸之於牡丹後世紛紜無一定之說余妄謂
少腹不仁與小便不利非冷結而何地黃牡丹並行
者乃養真血而攻壞血固真氣而行結氣之意所謂
一闔一闢之義耳或曰牡丹為效唯是行血通經仍
以配于桃人大黃可增陰滌之力合于當歸地黃阿
膠等能引滋液和血之品而營養陰分此說雖纖悉

恐過于調停

防風

〔釋品〕其葉似白頭翁厚澤三年後擹一莖秋開細白花攢聚於枝端頗似芹花根如大指長及二三尺是享保中所始栽漢種者今出和州宇陀俗呼種防風味甘温滋潤者良又有呼伊吹防風真筆防風削防風濱防風者皆以邪蒿防已等根僞充者不堪用

〔釋性〕味甘温主風行周身骨節疼痺散頭目中滯氣治頭眩痛四肢攣急

議曰防風味甘溫能逐風故以爲名本經云主大風候氏黑散云治大風四支煩重薯蕷丸云風氣百疾竹葉湯云產後中風可以徵爲益防風之爲品質輕而氣盛最能去上部之風是以桂枝芍藥知母湯證有頭眩千金大三五七散有防風七兩亦治頭風目眩故本經載頭眩痛主治而張元素曰治上焦風邪可見防風雖能逐風濕除四肢疼特走上部者其性然也學者宜就其形質氣味而詳之後世身半以上風邪用身身半以下風邪用梢可謂不知藥性者矣但如防已地黃湯之於防風則與防已桂枝地黃相

伍以治病如狂狀妄行獨語不休秪是日華子所謂安神定志匀氣脉者歟余未能通覈姑俟後考○又按候氏黒散薯蕷丸竹葉湯紫石寒食散皆桔梗防風並用是恐後世敗毒散等所濫觴而紫石寒食散主治漫然難從

礬石

〔釋品〕和名太宇須通稱明礬今多從薩州出又有西船載来者煎煉之法和漢雖不同而形色無異凡使以光明如白石英味酸澁者為好方家煆乾汁者曰枯礬不煆者曰生礬

〔釋性〕味酸寒除風消痰止渴解毒燥湿定痛主白
沃陰蝕惡瘡目痛
礬石味酸寒能却水氣收斂厥逆是以礬石湯治脚
氣冲心又用此方以救卒死而壯熱者蓋死而猶熱
者陰氣内遏而厥陽獨行可知故礬石能收斂其厥
逆而接内遏之氣也宗奭曰礬石水化書紙上乾則
水不能濡故知其性却水也涎藥中多用者亦此意
兩消石礬石散云腹脹如水狀大便必黑時溏是雖
日晡時發熱非陽明潮熱之比其不用大黄芒消而
用礬石消石者即不過于却水燥湿之意喻昌以為

清腎及膀胱藏府之熱者非也蓋此二品氣味勁悍恐傷胃氣故大麥粥調服以奏無妄之勳也如礬石丸則本經所謂白沃證其挿入藏中者去子藏之痰滯而永斷下白物之源也後世嗜鼻以去鼻中瘜肉嚥津以治急喉痺俱是屬活用又不可不知

芎藭

〔釋品〕和名於年奈迦都良今通稱川芎春生苗葉似水芹而細叢生秋抽臺高二三尺開細黄花結細子晚秋苗葉枯根結塊秋冬採之其狀如雀腦即李時珍所謂雀腦芎和州出者形重實氣烈味

辛而甘色黄白豐州出者形瘦小香味更優奥州出者形大氣劣稍為次此品元自蜀川中出故又曰川芎而今俗以川芎為艸名猶以全蝎為蟲名也

〔釋性〕味辛温主頭痛金瘡血閉心腹堅痛半身不遂鼻洪吐血及溺血排膿行氣開鬱

芎藭味辛温能走于血分故每與當歸相濟以奏其效而細論之則歸者甘平主和柔藭者辛温主排散猶如仁與義相依而全其德矣是以仲師之方必與當歸并行如續命湯奔豚湯芎歸膠艾湯當歸芍藥散當歸散温經湯是也候氏黑散薯蕷丸亦二味相配而余未解方意故不贅

其離當歸而單馳者爲酸棗人湯白朮散也酸棗人湯証曰虛煩不得眠其不須當歸者以急於行氣閑爵也白朮散方後曰心下毒痛倍加芎藭乃知藭之爲品不特調血分還有破氣止痛之效也奔豚氣用芎藭者亦不過于此義後世癰疽藥中多用之者亦復以辛散能行血氣也李時珍以爲血中氣藥殆得古義矣沈括筆談云川芎不可久服單服令人暴死醫或有執是說而死守者其猶正牆面而立耳

食鹽

〔釋品〕和名之保阿州播州製者即海鹽也取海鹵

煎煉而成東海之製亦然銃州勢州製者乃鹻鹽
刮取鹻上煎煉而成者也又有井鹽崖鹽池鹽井
鹽者信州鹿鹽邑出之其他未詳之凡擇鹽色細
白味極鹹者為上品或灰色而粗者下品

〔釋性〕味鹹寒堅肌骨通大小便吐胸中痰止心腹
卒痛解毒潤燥定痛止痒

議曰食鹽味鹹性收歛滋潤能解毒涌滞故仲師用
以治貪食多不消心腹堅滿痛柳々州纂救三死治
霍亂鹽湯方云元和十一年十月得乾霍乱上不可
吐下不可利出冷汗三大斗許氣即絶河南房偉傳

此湯入口即吐氣復通其方出仲景所用惟加童便耳可謂先聖後哲同其揆矣李時珍曰吐藥用之者鹹卤引水聚也能収豆腐與此同義理或然

戎鹽

〔釋品〕青鹽也以西船所載方塊堅白微帯青者為佳有一種赤者係蠻船齎来

〔釋性〕味鹹寒緊肌骨主目痛心腹痛齒舌血出瘡疥癬等

議曰周禮注云飴鹽味甜即戎鹽〔寇宗奭〕曰戎鹽甘鹹蓋戎鹽氣味同食鹽惟不經煎煉故味帯甘宜矣

有飴鹽之稱也又論其性則潤下之力更優是以仲
師治小便不利以茯苓戎鹽湯也夫鹽之為物能利
小便又能澁小便一闔一闢其機在潤精氣與助水
邪用者宜顧方伍如何耳寇氏曰病喘嗽人及水腫
者宜全禁之不可不知

獨活

〔釋品〕和名之々宇止一名伊奴宇止一名宇止毛
止岐之々宇止猶云鹿獨活伊奴宇止猶云狗獨
活宇止毛止岐猶云賽獨活大同小異耳春生苗
葉狀似土當歸而氣臭烈夏抽大莖五六尺秋開

芤作攢簇根亦似土當歸而中虛與海船所載来俗呼為馬皮樣羌活者相同即是獨活須入藥按古方唯用獨活而無羌活本經獨活為本條而一名羌活至後世分獨羌二活而為異李時珍曰獨活以羌中来者為良故有羌活胡王使者諸名乃一物二種也正如川芎撫芎白朮蒼朮之義入用微有不同後人以為二物者非矣得之世以舶来馬皮樣及邦産獨活通呼為羌活誤特甚

〔釋性〕味苦甘治諸中風濕手足攣痛遍身㾮痹酸疼頭旋目赤頭項難伸

議曰獨活味苦甘能逐風勝湿是以利關節和諸痛
其効與防風甚相近但防風逐風不能勝湿獨活則
兼之金匱黑散有防風無獨活三黄湯有獨活無防
風一中風劑中各異其用者恐此意耳劉完素曰獨
活不揺風而治風浮萍不沈水而利水因其所勝而
為制也張元素曰風能勝湿故羌活能治水湿二説
相須而獨活性効自瞭然矣

山茱萸

〔釋品〕和名也万久美樹高丈餘葉楕而夹觧兩々
相對春開細黄花叢簇於枝節尤可愛也其子形

似桃葉珊瑚子至秋熟深紅色是本係漢種又有舶來及朝鮮種其形相同並入藥

〔釋性〕味酸平主温中逐寒湿痺暖腰膝助水道止小便利及老人尿不節療耳鳴頭風

議曰山茱萸味酸平能約下焦秘精氣陶弘景曰止小便利甄權曰止老人尿不節蓋其味酸濇以收滑也而仲景八味丸有此物以治小便不利何居夫精氣充則九竅通利故山茱萸之於八味丸秘精氣以通竅也非敢事泄利也是猶朮之治小便不利與自利乎雖然朮主燥山茱萸主潤彼之中焦此之下焦

亦可以見其能之所異矣

薯蕷

〔釋品〕和名也万乃伊毛以山中自生者為貴故有山藥山蕷諸名俗謂之之祢牟世宇刮之白色者佳青黑或黄者不堪用今圃人所藝者即救荒本草所謂家山藥是也俗呼奈迦伊毛但可備蔬茹李時珍曰供饌則家種者為良而不若山生味最甘美也

〔釋性〕味甘寒除寒熱邪氣止腰痛洩痢化痰涎主虛勞羸瘦

議曰薯蕷味甘寒能滋精氣清虛熱八味丸薯蕷丸
用之以其甘平而微寒也李杲曰治皮膚乾燥以此
潤之繆仲淳曰觀其生搗數癰瘡能消熱是微寒之
驗也二氏説亦足以見滋津清熱之一班矣汪昂曰
山藥性濇故治遺精泄瀉余謂不然滋精氣者能滲湿
亦猶牡蛎滲湿以止遺精而茯苓滲湿以治下利薯
蕷其能滲湿故復有利水之功是以八味丸括蔞瞿
麥丸藉此品治小便不利及婦人轉胞也汪昂不知
斯意漫為性濇説雖奇僭妄亦甚矣

酸棗人

〔釋品〕和名佐祢布止又也万奈都女本係漢種今州郡皆植之極易茂苗葉花實幾似大棗而其實圓小而味酸其核圓而仁稍扁此為異其品以舶來為優

〔釋性〕味酸平主心腹寒熱邪結氣聚煩不得眠臍上下痛虛汗久洩

議曰酸棗人味酸平能寧中飲氣是以精氣虛乏濁飲虛火襲心煩懣不得眠者以酸棗為君知母甘草之清熱滋燥茯苓芎藭之行氣除飲為之佐以治虛煩不得眠酸棗人湯所主可以見耳五代史後唐刊

石藥驗云酸棗人睡多生使不得睡炒熟陶弘景曰其子肉味酸食之使不思睡核中人服之療不得眠正如麻黄發汗根節止汗也按陰邪潛裏則沉重嗜卧虚熱侵上則煩躁不得眠若夫陰邪一去則嗜者煩者皆可治酸棗之於主治亦猶此耶心氣一寧則醒睡並可得其正矣後世不論此義徒以藥之生熟肉之有無别其治者抑末矣

皂莢

〔釋品〕和名佐伊迦之樹高大葉如槐葉而小枝間多刺方家所謂皂角刺是也夏開黄白花結莢長

及尺餘而瘦薄枯燥是即肥皂莢外臺皂莢丸條
云長大皂莢一挺蓋此物也一種猪牙皂莢短小
似猪牙自海西來弗堪入藥
〔釋性〕味辛温利九竅除欬嗽破堅癥通關節治咽
候痺塞中風口噤
議曰皂莢味辛温能通氣除痰故仲景皂莢丸方主
用之以治欬逆上氣唾濁但坐不得卧桂枝去芍藥
加皂莢湯以治肺痿涎沫余嘗治勞嗽氣塞短氣不
得息者以桂枝去芍藥加皂莢湯奏功蓋通氣利竅
故也後世以稀涎散治中風口禁亦此意耳

小麥

〔釋品〕和名古牟岐磨礱作麪日用者是也本邦南北皆蒔之其種幾半百不暇枚挙後世醫家多取浮小麥入藥

〔釋性〕味甘寒主除熱止躁渴咽乾利小便養心氣

議曰小麥味甘寒能除煩止渴滋津液和中氣故厚朴麻黃湯治肺脹欬逆上氣甘麥大棗湯治臟躁悲傷要之不過于除煩熱和中氣之意或曰凡方中用石藥則必配五穀以護胃氣白虎竹葉石膏之於粳米厚朴麻黃之於小麥皆然是說似有理而徵之於

他方則大不然其說至乎麥門之粳米甘麥之小麥而窮焉余嘗謂五味五穀伍之於方藥則又各有所主何者味與氣之分耳夫穀雖美煎之煑之徒服其汁不可以療饑釁之烹之盡其滓可以保養身體飯雖旨亦徒食之不可以治腹痛除煩熱是以主味則藥品亦可以列食類如仲尼之薑曾晳之棗是也主氣則食類亦可以加藥品如肘後以粳米治卒心氣痛聖惠以小麥治煩熱少睡多渴是也豈可與朝餐暮食倫蒦胃氣者同日而語哉

澤漆

〔釋品〕和名止宇太伊久佐秋生苗至春高尺許莖端分五枝大率似大戟而葉短小莖如馬齒莧折之出白漿

〔釋性〕味苦寒逐水消痰退熱利小便止瘧疾

議曰澤漆味苦寒能逐水消痰是以澤漆湯澤漆三斤取汁内諸藥煮治欬而脉沈者蓋脉沈爲裏水之候故不用麻黄而用澤漆其意判然可見矣陶隱居日華子指澤漆爲大戟苗李時珍曰澤漆利水功類大戟故人見其莖有白汁遂誤以爲大戟是說是

葦莖

〔釋品〕葦即蘆也和名阿之一名與之多生水澤中其形如竹花似荻其葉抱莖生采莖入藥一種生攝津鵜殿者差大而深碧色即蘊頌所謂碧蘆也此莖硬強故俗用為篳篥義嘴又有筑前方言呼湊竹者或云真蘆也能治肺癰肺痿効恐碧蘆之類並可試用

〔釋性〕味甘寒主霍乱嘔逆肺癰煩疽葉同

議曰葦莖者蘆葦之莖也併莖葉可用之外臺引傷寒論云葦葉切一升是也夫葦稟水氣而生其味甘寒能清熱利水故與桃人瓜瓣相配則又能走于血

分而輸泻膿水也魏氏曰葦莖與蘆根同性清熱利水解渴除煩後世解毒藥中用之亦此意耳惟古方不多見未由極其功効

蘆根

〔釋品〕和名與之乃袮已詳于葦莖條

〔釋性〕味甘寒主消渴解大熱開胃療嘔逆不下食噎噦不止止小便利

議曰蘆者葦之未秀者也淮南子脩務訓注云未秀曰蘆已秀曰葦爾雅郭璞注云蘆葦也葦即蘆之成者並可以徵焉蓋蘆根味甘寒其能與葦莖粗同惟

立之曰 玉函經卷八附遺

其未秀者精氣必含蓄于根秀則否故今取不秀之根者其意專在甘寒解大熱開胃使宿毒自小便去是以金匱食馬肉中毒欲死者及食鯸鮧魚中毒者皆用蘆根而肺癰煩熱未吐真膿病在上焦者用已秀之葦莖也證類本草引金匱玉函方云治五噎心膈氣滯煩悶吐逆不下食蘆根五兩剉以水三大盞煮取二盞去滓不詳時温服是雖未知果出仲景亦足以見利氣解鬱之效矣

瓜瓣

〔釋品〕瓣音片即瓜犀說文云瓣瓜中實徐曰一名

瓠犀、韵會小補云瓣又名犀時珍曰其瓤謂之瓜練其子謂之瓜犀在瓤中成列是也今人或以犕為瓣非按古方唯曰瓜子曰瓜瓣不指何物凡古單稱瓜者皆指甜瓜而言為天子削瓜瓜田不容靴蔍止節瓜存犀之類可以徵焉蓋方書多用冬瓜而不見用甜瓜者故金匱編註及論注皆以為冬瓜子也甜瓜和名万久和宇利冬瓜和名迦毛宇利亦同類性相近遇闕可用耳

〔釋性〕腹內結聚破潰膿血最為腸胃脾癰要藥

議曰瓜瓣味甘平能和中潤腸以破痈蓄是以大黄

牡丹皮湯葦莖湯與桃人牡丹相配為肺腸癰腫之主藥張璐本經逢原云甜瓜子即甜瓜瓣為腸胃內癰要藥千金治肺癰有葦莖湯腸癰有大黃牡丹湯予嘗用之然必黃熟味甜者方不傷胃是也雷公炮炙論以瓜子一味治血泛經過聖惠方以大黃牡丹湯治產後血運亦足以見潤和破瘀之功矣

橘皮

〔釋品〕和名太知波奈本邦橘類甚多但以遠州白輪出者為佳品俗謂之白輪迦宇之即橘錄所載黃橘是也又有俗單呼迦宇之者是所謂包橘為

下品又有俗呼唐蜜柑者即朱橘也按太知波奈和名橘類總稱也以上諸橘可通用今市人取皮為藥者皆係蜜柑柑實熟時甜如蜜故名之青時採者為青皮熟時採者為陳皮非矣夫柑橘雖相類性味不同李時珍曰橘皮性温柑皮性冷不可不辨

〔釋性〕味辛温主逆氣止嘔欬消痰涎開胃利水穀解魚腥毒

議曰橘皮味辛温能下氣驅飲故仲師與生薑相配以治胸痺及嘔噦氣逆停飲如橘皮枳實生薑湯橘

皮湯橘皮竹茹湯茯苓飲是也夫人身所以營為以
氣為主氣一滯則嘔逆欬嗽寒熱水飲隨生苟氣融
結散則百患不得不除橘皮之用蓋取於斯乎竊原
曰橘皮能散能瀉能溫能補能和化痰治嗽順氣理
中調脾快膈通五淋療酒病其功當在諸藥之上非
虛贊也雖然後世六陳之說起而用者或不厭陳腐
敗蠹一試無功則至言薄藥無能矣惡知陳皮之陳
原對青皮而言譬如陳人之陳即熟成之義非舊古
之謂也醫宜選新黃熟成芳香辛烈者而用厚藥不
必良薄藥不必無靈是豈陳皮之罪乎哉

又按金匱禁忌方中以橘皮解魚毒食毒時珍曰入食料解魚醒毒邦俗燒爲末治骨硬其理粗同亦不可不知

消石 赤消

〔釋品〕本邦州郡多有之採苗煎煉生細芒馬牙其形與朴消同而得火即焰起凡使之以明淨辛苦者爲上味鹹者次之

議曰消石即火消可以爲火藥其苗曰地霜煎煉則爲石形故稱石其性能化成十二種石於是有消之名矣其味辛苦而鹹氣温而上升雖置金石器中尚

能滲出故能透発蔚結而破積聚除湿熱火蔚而調和臓腑腦痛欲死并治喉痺五痳黒疽発背手足不遂皆取之於升散蔚滞之義也仲師大黄消石湯礬石消石散之治発黄鱉甲煎丸之治癥瘕亦不過于此義若夫芒消其性走下故惟蕩滌腸胃積滞耳後世不辨此義或二物混用可謂謬之甚者矣

按鱉甲煎丸方中赤消諸家存疑證類本草皇甫謐曰消石味苦無毒主消渴熱中止煩滿三月採於赤山朴消活人書云赤消消石出於赤山據此則赤消者赤山消石之謂猶川芎蜀椒之義但以消石為朴

消者可疑別錄云朴消赤者殺人乃知火消而非朴消之赤者也

大麥

〔釋品〕和名於保牟幾形似小麥而大故名之本邦所產其種甚多有一種俗呼波太迦牟幾者自然皮肉相離即陳藏器所謂青稞麦作飯最良

〔釋性〕味鹹温主消渴調中壯血脉化穀食下氣

議曰大麥味甘温而平淡可充常餐陶弘景以為五穀長李時珍曰作飯食饗而有益是也張氏用之亦不過假以資津液爲妊娠養胎白朮散云已後渴者

大麥粥服之病雖愈服之勿置枳實芍藥散云主桂枝湯服後啜熱稀粥同一轍蓋比之米粥則甚滑而輕淡胃虛人食之易消已别録云除熱李時珍曰凉血後世概為滋潤凉降之品汪昂曰麦之凉全在皮故麵去皮即热凡瘡瘍痘瘡潰爛不能着席者用麦麩裝褥卧性凉而軟誠妙法也今試之或然

艾葉 熟艾

〔釋品〕本邦謂苗為與毛岐呼熟艾為毛久佐世以江州伊吹山者為貴品此非真艾即詩疏所以謂蔞蒿也和名奴方與毛岐苗葉長大白茸夥於真

艾入藥惟取生山野及園地苗葉短者為佳

〔釋性〕味苦温主下痢吐血婦人漏血帶下止腹痛

主灸百病

議曰艾葉苦温能止諸血故與地黄乾薑相配以為效也栢葉湯之於吐血不止芎帰膠艾湯之於半産漏下可以見焉千金膠艾湯加乾薑亦辛温相依以逞其力之義繆仲淳曰治白帶之要藥調經之妙品非虛贊矣若夫艾肉之灸于經穴是藉温陽和煦之氣以活潑氣血使身體莫所凝滯故能起癈痼於康泰回元陽於垂絶仲師少陰厥陰二病專用以為輔

治之法抑有故也孟子曰猶七年之病求三年之艾圓覺經云辟如有人百骸調過忽忘我身四支弦緩攝養非方微加針艾則知有我名醫別録云擣葉以灸百病艾灸之為用亦尚矣為醫者豈可忽諸

黄土

〔釋品〕千金名釜月下土即竈心對釜臍下黄土也凡十年已來竈中火氣不斷自結如黄赤色石者碎水飛用

〔釋性〕味微温主止欬逆吐血鼻洪腸風帶下尿血

議曰黄土一名伏龍肝味辛温能温中止血故黄土

湯與附子相配以治吐衂便血也陶隱居曰今人又用廣州鹽城屑以療漏血瘀血亦是近月之土蓋得火燒之義也後世用以治嘔吐亦不過此意醫家或謂溫燥入脾拘泥之見耳

葵子

〔釋品〕即冬葵子也和名迦充阿不比瀕海水旁俱生莖高三四尺葉似錦葵而五尖春夏秋開花白色帶淡黃紫實大如小指頭形圓而扁其子小於錦葵

〔釋性〕味甘寒主五癃利小便療婦人乳難內閉能

下乳汁

議曰、西土種葵以充日用蔬茹故為五菜之主、其子亦洩薄滑利能行津液故有通小便消水氣之功、葵子伏苓散之所主可以徵焉、千金方用滑胎婦人良方用治乳汁不行亦足以見滑利行津之端矣張志聰曰冬葵子覆養過冬氣味甘寒而滑故治五癃夫膀胱不利為癃五為土數土不運行則閉塞故曰五癃治五癃則小便自利穿鑿甚矣

蘇葉

〔釋品〕即紫蘇葉乾也、蘇有二種、一葉面青背紫者

俗呼迦太女牟之曾一面背俱深紫色邊有深鋸齒而縱皺如剪成之狀謂之花紫蘇俗呼知利女牟之曾香色子葉俱好又有一種陶弘景曰其無紫色不香似荏者名野蘇多識篇云和名野良惠今俗間所鬻者多此子宜擇

〔釋性〕味辛溫下氣除寒中主上氣欬逆開胃下食解魚蟹毒

議曰紫蘇葉味辛溫能下氣寬中故半夏厚朴湯用此品以治咽中如有炙臠後人治咽痛紫蘇一味為末吹之即効可以見下氣之力美又飲食禁忌篇云

食蟹中毒紫蘓煮汁飲之紫蘓子擣汁亦良別録云其子尤良乃知蘓子與莖葉同功而其力或為優也後世喚千金紫蘓子湯為降氣湯良為不誣矣

紅藍花　新絳　緋帛

〔釋品〕一名紅花和名久禮奈伊圃人多種之秋生苗至夏高二三尺葉如小薊莖端開花如蒼朮花而紅黃色花下有彙刺乘露采花用

〔釋性〕味辛温主活血潤燥止痛散腫解熱

議曰紅藍花味辛温能行血故為血分總司張氏婦人雜療方以紅藍花酒治六十二種風蒸腹内血氣

刺痛六十二種風雖未詳其義意是婦人血分諸疾三十六病之屬耳大都辛温能和血其須酒者亦不過于行血和痛之意李東垣以為補血虚者非也開寶本草云主產後血運口噤腹内悪血不盡絞痛胎死腹中並酒煮服崔元亮海上方以紅花絞汁療產暈絶者又治喉痺壅塞不通後世其苗擣敷遊毒殊効臙脂滴停耳立愈亦可以見行血之一端矣

按新絳及緋帛和名毛美程林曰絳者紅藍花所染徐彬曰緋帛紅花之餘即紅藍花所染也本草唐本紅藍花注云堪染紅是也或云古所謂絳緋者係

茜草所染蓋【金匱】旋覆花湯用新絳以治婦人半產漏下則此物能入血分治婦人之疾亦猶紅花耳

蛇牀子

【釋品】和名也不之良美花葉如胡蘿蔔而小實亦相似有毛刺喜粘人衣即爾雅所謂竊衣是也小野職博以俗稱濱人參者充之未知孰是

【釋性】味苦平主陰痿濕癢陰中腫痛除痹氣利關節令婦人子臟熱浴男子陰去風冷

議曰蛇牀子味苦平能溫中去濕為陰部主藥故仲師以為婦人陰中坐藥甄權以浴男子陰去風冷大

益陽事、後世亦用治痔瘡及脫肛、即其餘波耳、嗚呼藥各有專長、不可不知

大豆　豆黃卷

〔釋品〕即黑大豆、和名久呂麻女、李時珍云、大豆有黑白黃褐青班數色、黑者名烏豆、可入藥、其緊小者爲雄豆、用之尤佳、豆黃卷、和名久呂麻女乃毛也、之用黑大豆不拘多少、以井水浸二三日、候生芽長四五寸、曬乾用、亦可供菜料

言之案、證類本草引食療云、卷蘖長五分、是也、綱目引弘景曰、黑大豆爲蘖牙、生五寸、是今諸引食療而分字訛作寸者、本非弘景之注也、田宮要実年来製卷表、據綱目說、余一朝說破、示後從食療本訛、蓋亦習者之一失耳

〔釋性〕味甘平、逐水脹、通關脉、解諸毒

議曰、大豆味甘平、能逐水氣、去胃中熱、金匱鳥獸中

毒箭死其肉有毒解之用大豆煮汁者是無他以除
热也若夫逐水之効則晋唐諸方詳之宜參考矣按
大豆黄卷別録云益氣止痛潤肌膚皮毛治虚労著
蓐九方中用之者恐斯意也

地漿

〔釋品〕和名都知乃都久利美都陶弘景曰此掘黄
土地作坎深三尺以新汲水沃入攪濁少頃取清
用之故曰地漿亦曰土漿是也或曰盛赤土於器
内入水造之亦可以備急

〔釋性〕

議曰地漿味甘寒能解中毒煩悶故金匱雜療中生肉中毒及諸菌中毒悶亂欲死者用之陶弘景曰山中有毒菌人不識煮食之無不死又楓樹菌食之令人笑不止唯飲土漿皆差餘藥不能救也可見坤土得坎水其力蓓蓰猶湯沃雪矣

漿水　清漿水　醋漿水

〔釋品〕和名波也須其法炊粟米飯乘熱投冷水中以缸浸五六日纔酸便用如過酸則不中用其敗壞者害人

〔釋性〕味甘酸主調中引氣開胃止渴消宿食

議曰漿水味甘酸能開胃化食故古人飲唉之後必用此物孟子曰簞食壺漿素問云漿粥入胃是也今徵之於藥方其用有四道如枳實梔子湯則消宿食者也如半夏乾薑散白朮散則開胃者也如赤豆當歸散礬石湯則引氣以走於下焦也如蜀漆散則善驅瘧者也嘉祐本草云主調中引氣開胃消宿食悉皆經旨合無復間然

按清漿水即漿水之清者也醋漿水即漿水煎令醋者也蓋味酸者收斂之功為甚故能下氣止嘔亦猶白梅含之止注舩也白朮散云若嘔以酸漿水服本

主之謂漿水用其清者故又謂之清漿水其味醋故又謂之醋漿水其一物也此分為三種恐非是

草新補云煎令醋止嘔可以見矣如清漿水則意專在解煩渴而化滯物故枳實梔子湯用之也蓋漿水之為物其製不一傷寒類方云漿水即淘米泔水久貯味酸為佳本經逢原云以水空煎候熟極煮藥名清漿水取其下趨不至上涌二說恐非古之漿水余姑從李氏之法

薤白

〔釋品〕和名良都介宇即辣蕌之讀音也去青留白故曰薤白薤葉中空似冬葱而有稜員如葱八月莖頭開紫花其形如韭花根如山蒜肥壤蒔之數

顆相附而生五月葉青時堀之否則肉不滿也

〔釋性〕味辛温温中散結去水氣止久痢泄氣滯心病宜食之

議曰薤白味辛温能温中散結氣故仲景治胸痺每共白酒相和以成功也杜工部薤白詩云衰年關膈冷味暖併無憂白香山詩云酥暖薤白酒其義可以徵焉四逆散云泄利下重者先以水五升煮薤白三升煮取三升去滓以散三方寸匕内湯中煮取一升半分温再服是雖出乎後人之手亦不過于辛温以散氣滯之義後世治下痢諸方用之蓋濫觴于此

白酒

〔釋品〕白酒李時珍食物本艸及彭用光普濟良方王子律藥性纂要楊州府志齊民要術等載其造法疑非古之製虞兆隆特以為美酒説見于天香樓偶傳然巢源寒食散候云當飲醇酒勿飲薄白酒也又醫心方引石論云酒是性命之本朝暮常飲熱美酒仍不得飲白酒又靈樞經筋篇以白酒和桂且飲美酒則知白酒與美酒自別而以千金白酒作白酨漿近來方家專用酢按説文云酨酢漿也从酉𢦏聲周禮酒正三曰漿註曰酨漿酨之

言載也米汁相載也是即酒之未熟者而非粟飯所造之酸漿亦非米飯所造之苦酒今概用酢者非嘗以薄酒充之史記白屋後漢書作薄屋諸葛亮傳薄田又作白田可見薄白古通用也夫酒之薄者其色不黃故白有清白之義禮內則云酒清白陳澔注云清清酒也祭祀之酒事酒昔酒俱白故以白名之通雅云清酒今中山之釀接夏而成內則酒清白儀禮之醙白酒也吳從光小窓別記引魏略云白酒一曰清酒是也

〔釋性〕色白上通於胸中使佐藥力上行極而下

議曰、白酒者、熟穀之液也、其氣芳烈、上通胸中、而温散結氣、故胸中所痺之陽自通、短氣心痛亦隨止、但依證之輕重、而其量有多少之略、凡喘息欬唾胸背痛短氣者、是爲胸痺、今其痛甚而心痛徹背、則其證爲重、故白酒湯用七升、而半夏湯用一斗也、余嘗以薄酒煮栝蔞薤白白酒湯及半夏湯用之、効西土已有薤白酒、恐亦是矣、

羊肉　羊膽

〔釋品〕羊肉西土以充常食、種類甚多、用之取去勢者、謂之羯羊、陶景曰、入藥以青色羖羊爲勝、次則

烏羊本邦但西肥畜之以貨異邦人耳其膻亦不出市肆

〔釋性〕味甘熱主緩中開胃健力字乳餘疾虛勞寒冷

議曰羊肉味甘溫能緩中養精故當歸生薑羊肉湯治寒疝及產後腹中痛也素問云精不足者補之以味又云養精以穀肉菓菜夫肉之為物其味雋永能潤腸胃生精液豐肌體澤皮膚而羊最大熱為溫和之要藥寇宗奭曰仲景治寒疝羊肉湯服之無不驗者一婦人月生產寒入子戶腹下痛不可按此寒疝

也、醫欲投抵當湯、予曰非其治也、以仲景羊肉湯減水二服即愈、蘇頌胡洽方有大羊肉湯治婦人大虛心腹絞痛、醫家通用大方也、二氏說足以確羊肉之功矣、按羊膽味苦寒、能生人身血脉、解卒厥、故通脉四逆加猪膽汁湯云、如無猪膽以羊膽代之、可見其効與猪膽相近也、本艸諸膽皆治目疾、大抵可通用、不唯羊膽也、

眞朱

〔釋品〕程氏曰、眞朱是硃砂、本草丹砂墨字云作末名眞朱、蘇恭非之曰、經言末之名眞朱者誤矣、豈

有一物以金末殊名乎、此説可從、邦俗通稱辰砂、猶以川芎為草名也、入藥以光明瑩徹碎之作墻壁砌之鮮紅者為良、其末砂多雜他物、不堪用、

〔釋性〕味甘寒、安魂魄、通血脉、止煩滿消渴、除中悪腹痛治驚癇、

議曰、味甘寒、其能与鉛丹相似、而鎮墜之力更為優、是以孫思邈千金方以丹砂消石二味治驚癇、夏子益奇疾方以丹砂人參茯苓治離魂病也、蓋丹砂燒為汞則不能無毒、故鄭氏周官注以丹砂石膽雄黃礬石慈石為五毒、攻瘡瘍也、惟治寒氣厥逆赤丸用

之者以為色乎、又將取義於鎮墜乎、余未能詳

升麻

〔釋品〕和名美都不知、近道諸山皆出、有大小數種、坊間呼曰光升麻者為佳、此即陶氏所謂雞骨升麻、李氏所謂鬼臉升麻也、形大而黑、肉色青綠者為良、漢產亦來、俱入藥、又有以海根及春雪艸假充者、不可不擇、

〔釋性〕味苦平、主寒熱風腫諸毒、喉痛口瘡、惡臭瘡癰腫、䟽豆瘡、

議曰、升麻味苦平、主清熱解毒、蘇頌曰、今醫家以治

咽喉腫痛口舌生瘡解傷寒頭痛凡腫毒之屬殊效蓋徵之於古方麻黃升麻湯有咽喉不利唾膿血證升麻鱉甲湯亦有咽喉痛唾膿血證又肘後以一味單升麻治喉痺及喉塞則為利咽解毒之劑可知矣雖然麻黃升麻湯藥味冗雜不大似古方簡易之體唯如升麻鱉甲湯二方似可據而其證不特咽喉又有斑々如錦紋證後世治痘疹專用之恐本于此然其能在清熱解毒則痘疹出後氣虛或泄利振寒者不能無斟酌又古人以升麻代犀角（千金犀角地黃湯條可参考）蓋二藥性味雖相遠其清熱解毒則一也朱肱以陽

明同經立説誤矣朱二允依張潔古李東垣以升降之理辨之按廣雅云周麻升麻也周升音近故選用耳徒拘字以升提之義論有大謬矣

射干

〔釋品〕即烏扇也一名烏翣和名比阿不岐即檜扇之訓又名之也迦即射干之轉音春生苗高二三尺葉似蠻薑而狹長横張如翅羽收葉中抽莖似萱草而強梗六月開花黄紅色瓣上有細文秋結實作房中子黑色根多鬚邦俗据丹溪紫花射干説以鳶尾為射干者非

〔釋性〕味苦平、主欬逆上氣、喉痺咽痛、散胸中熱氣、消痰破癥結、

議曰射干味苦平能利咽喉散結氣故射干麻黄湯治欬而上氣喉中如水雞聲鱉甲煎治瘧母及積聚也按千金治喉痺有烏翣膏寇宗奭曰治肺氣喉痺並足以見利咽散結之效矣

竹茹

〔釋品〕淡苦篁竹皆可用本草彙言云取大竹削去面上青色皮取向裏黄皮是也餘詳于竹葉條

議曰竹葉竹皮皆甘寒其性一致故後世互用似無

大差別、蓋竹葉性輕散、其氣可升可降、故與石膏附子相配、以清虛熱降逆氣也、惟竹皮則性緩潤、安中清胃、故橘皮竹茹湯竹皮大丸專用之、以治虛煩嘔噦、千金治產後內熱煩熱短氣有甘竹茹湯、治產後虛煩頭痛短氣悶亂不解、有淡竹茹湯、亦同旨也、若夫暴喘口噤、虛氣奔騰者、非竹瀝則不能奏効、錦囊秘錄云、瀝之出於竹、猶人身之血也、極能陰長於清火、性滑利、走竅逐痰、故為中風之要藥、是能發仲景未言之秘、抑亦可以為古方之羽翼矣、

特 1
3432

海外漢文古醫籍精選叢書·第二輯

秘傳藥性記

(日)味岡三伯　撰

内容提要

《秘傳藥性記》，又名《秘傳藥性論》，是日本江户時代（一六〇三—一八六七）的本草學著作，由名醫味岡三伯編撰，刊於元禄元年（一六八八）。此書選取六十味臨床效用藥物，分别述其和名、炮製、性味、功效、主治、禁忌及所涉方劑等内容。全書結構系統，條理清晰，重點突出，便於後學之人學習、掌握和利用，不僅具有獨特的文獻參考價值，更具有現實的臨床實用價值。

一 作者與成書

《秘傳藥性記》未署撰者姓氏，日本《國書總目録》著録此書作者爲「鵞似軒」❶，而此人實爲書中叙言的撰寫者。在本書書首有「秘傳藥性記叙」一篇，文末落款「時元禄戊辰孟冬上浣／勢陽國府孫氏／鵞似軒」。叙中言：「於此有一醫，稱味先生，爲畿内醫學之宗統，而自西自東，涉海跋域，無思不從學焉。然先生積學之功太甚也，其平素臨於病，附方與劑，詳而無有罅漏也……擇藥性、氣味、功能

❶ （日）國書研究室．國書總目録［M］．東京：岩波書店，一九七七：（第七卷）七六〇．

驗有效者六十味，集之成一小册目，謂《藥性記》。其書秘於家，不妄出也。其徒有積年學熟者，則取府而與繕寫，且爲之辯詳矣。一日，剞劂氏袖彼書來曰，欲鋟之梓，依乞爲叙云。」據此叙所述，當時的京都附近有一名味先生，廣游博學，醫術高明，爲當地「醫學之宗統」。味先生選擇六十味臨床上頗有效驗之藥，論其藥性、氣味及功效主治，集成一書，名《藥性記》，秘藏於府而不示人。其高徒曾取其書，繕寫辯詳。日本元禄元年戊辰（一六八八），書商（竹中源右衛門）携此書求叙於孫氏騫似軒并予鋟刻出版。

現日本龍谷大學圖書館藏有《藥性記》鈔本一部。據學者真柳誠在《龍谷大學大宮圖書館和漢古典籍貴重書解題》中的考證：「本書爲淺井周璞的講義録……用日文記載對中焦穀府消化機能有效的六十味藥，述其名稱由來、類品鑒別、調製加工法、效能、用法等。」❶真柳誠文中所附書影爲該書正文首葉，除《藥性記》書名外，該葉右下可見小字「一名六十味」，且正文首先討論的是「中焦穀府」。這些特徵與筆者今所見《秘傳藥性記》相符，如本書論述了六十味藥物的炮製性味、功效主治、用藥禁忌及所涉方劑，正文開篇即討論了「中焦穀府」的十一種藥物。

又據《國書總目録》所載，日本尚存有《藥性記辨解》一書，又名《秘傳藥性記辨解》《六十味藥性記辨解》《醫學秘傳鈔》，作者題爲「岡本爲竹（一抱子）」。此書有兩種版本，其中的一六九九年刻本分别藏於日本國立國會圖書館、九州大學圖書館、京都大學圖書館富士川文庫、市立刈谷圖書館、杏雨書

---

❶ 真柳誠：龍谷大學大宮圖書館和漢古典籍貴重書解題（自然科學之部），京都：龍谷大學，一九九七—〇七—〇三[二〇一七—〇七—一五]，http：//square. umin. ac. jp/mayanagi/paper03/ryukoku/yakuseiki. html.

屋、乾乾齋文庫；另有一七五九年鈔本一種，藏於杏雨書屋❶。其中，「六十味」藥物，與筆者所見《秘傳藥性記》特徵相符；而書名中的「辨解」二字，與本書孫氏騫似軒叙中所言「其徒有積年學熟者，則取府而與繕寫，且爲之辯詳矣」的説法一致。

龍谷大學圖書館收藏的《藥性記》，爲淺井周璞（亦稱周伯）的講義録；日本國立國會圖書館等機構收藏的《藥性記辨解》，作者爲岡本爲竹（號一抱子）。而淺井周璞（一六四三——一七〇五）、岡本爲竹（一六五四——一七一六）二人均出於名醫味岡三伯門下，與井原道閲、小川朔庵齊名，號稱「味岡家四杰」，即味岡三伯門下四位高徒，都是日本當時盛名一時的醫家。如岡本爲竹通曉湯液、針灸二道，以開發童蒙爲己任，主要從事中醫經典和金元明醫著的注釋訓解，爲推廣和普及中國醫學做出了重要貢獻，其醫著有《素問諺解》《難經諺解大成》《十四經發揮和解》《萬病回春指南》《局方發揮諺解》《醫學正傳或問諺解》等數十種。

綜合分析以上資料，不難得知，本書「秘傳藥性記叙」中提到的「味先生」應該就是味岡三伯，即《秘傳藥性記》的作者。淺井周璞講授的《藥性記》、岡本爲竹辯詳的《藥性記辨解》，都是與其師味岡三伯《秘傳藥性記》關係密切的著作。

味岡三伯，生卒年不詳，是日本江户時代前期至中期的名醫，京都人。其師饗庭東庵師從於後世方派代表人物曲直瀨玄朔。後世方派醫家尊奉《黄帝内經》《難經》等中國醫學經典，倡導金元时期李（東垣）朱（丹溪）醫學。曲直瀨玄朔之後，以劉完素、張子和學説爲基礎的劉張學派興起，史稱後世方

❶（日）國書研究室.國書總目録[M].東京：岩波書店，一九七七：（第七卷）七六〇.

別派（或饗庭·味岡流），味岡三伯及其師饗庭東庵是該流派的代表醫家。味岡三伯的著作除《秘傳藥性記》外，尚有《黄扁性理真詁》《味岡三伯切紙》《味岡流藥性修治》《家傳十四經》等。

二　主要内容

《秘傳藥性記》是一部臨床本草學專著，全書一册，不分卷。在目録、凡例和藥性總論之後，按照藥物功效或作用於人體的部位，分爲中焦穀府、補陰、補陽、温中、解熱、疏中、發表、痰飲、水道、雜劑十類，收載六十種臨床常用藥物。

中焦穀府（十一種）：橘皮、藿香、白术、茯苓、甘草、山藥、香附、縮砂、木香、生薑、蒼术。

補陰（四種）：熟地黄、生地黄、當歸、芍藥。

補陽（二種）：人參、黄芪。

温中（三種）：附子、肉桂、乾薑。

解熱（七種）：柴胡、黄芩、山梔子、黄連、天花、知母、滑石。

疏中（十種）：大黄、桃仁、枳實枳殼、厚朴、檳榔、黄柏、薑炒黄連、莪术、延胡索、青皮。

發表（八種）：麻黄、紫蘇、獨活、防風、葛根、川芎、白芷、薄荷。

痰飲（五種）：半夏、貝母、紫蘇子、瓜蔞實、杏仁。

水道（二種）：澤瀉、猪苓。

雜劑（八種）：辰砂、阿膠、天麻、升麻、連翹、蟬蜕、桔梗、麥門冬。

每類之下先概述該類藥物的功效價值，然後分别論述具體藥物。每味藥物首列正名，正名左側以小字標注該藥的日文名稱，即「和名」；藥名之下，注明其炮製加工方法；隨後依次是味（酸苦甘辛鹹）、氣（寒熱温凉）和功效，功效中詳述主治病證及涉及的方劑。

綜觀全書，《秘傳藥性記》是一部將本草學理論與臨床應用實踐相結合的日本家傳秘書。

三 特色與價值

《秘傳藥性記》重視中國醫學經典，參考并徵引諸多古代中醫學文獻及醫藥學家的觀點，尤其推崇的是《素問》。

書中引用的中醫經典文獻，以《神農本草經》《黄帝内經》《難經》《傷寒論》《金匱要略》爲代表。除此之外，尚有南北朝劉宋时期雷斅《雷公炮炙論》、唐代孫思邈《千金要方》、元代朱丹溪《格致餘論》以及明代虞摶《醫學正傳》、徐春甫《古今醫統大全》、龔廷賢《萬病回春》等。同時，本書還參考了中國道家經典《莊子》及日本的醫藥學著作《修治纂要》《醫學正傳或問諺解》等。

本書作者味岡三伯尤其重視汲取《素問》諸多篇章的精華，并結合臨床實踐中藥物的使用情况闡述醫理藥理。所引述的内容，涉及《素問》的「調經論」「舉痛論」「臓氣法時論」「生氣通天論」「陰陽應象大論」「湯液醪醴論」諸篇，但又并非完全照搬全文。如補陰類「生地黄」條，引《素問·調經論》云「氣血喜温而惡寒」；補陰類「芍藥」條，引《素問·臓氣法時論》云「腎惡燥，急食辛而潤之」；補陽類「人參」條，引《素問·陰陽應象大論》云「壯火之氣衰，少火之氣盛」；水道類「澤瀉」條，引《素問·湯液醪醴論》云「開氣門，清净府」，等等。

除了引經據典，作者還參考諸多臨床醫家及本草學家的學術觀點，用以印證藥物炮製及臨床用藥的有效性。作者所引主要有東漢張仲景、宋代錢乙、金代成無己、元代王好古、明代李時珍等醫家的有關見解，尤其重視金元醫家朱丹溪、李東垣的臨床用藥理論。如在中焦穀府類，縮砂具有「安胎」之功，因其可順行中焦之滯，故引朱丹溪擅用縮砂、黄芩、白术安胎，「方中以白术爲第一，或多有血熱、鬱熱，則以黄芩爲第一，然不可輕用也」；補陰類「芍藥」條，朱丹溪以酒焙白芍，用於新産婦人，而不用生白芍，因「産後氣血共衰，使發生之氣不可伐也」；補陽類「人參」條，論述「發表藥中用此，亦助陽而走表也」「元氣甚虚弱，而難熱消，有用獨參湯，此東垣之所謂火與元氣不并立」；温中類「附子」條下，言及「中寒及陰症之傷寒相似也，是以多差誤」，引朱丹溪之言，詳細論説「入於臟爲中寒，有三陰經爲陰症之傷寒」；解熱類「柴胡」條，論述汗出異常，參考朱丹溪《格致餘論·痎瘧論》，結合「瘧症多易汗」，提出「是症用發表之藥則惡，只宜用柴胡、黄芩、山梔子等」。

在金元四大家中，脾胃學説的創始人李東垣十分强調脾胃對人體的重要作用，認爲脾胃爲元氣之本，是人體生命活動的動力來源，其脾胃之論的核心在於「脾胃内傷，百病由生」，故診治内傷虚損病證多從脾胃入手，强調以調治脾土爲中心。受李東垣脾胃學説的影響，味岡三伯也十分重視對中焦脾胃的治療，故在本書中首列「中焦穀府」一類，詳論十一種藥物，是全書十類藥物中收藥最多的一類。此外，又在第三、第四類中分立「補陽」「温中」名目，詳述臨床最爲常用的補陽、温中之品。以「中焦穀府」開篇，重視治療脾胃之疾，善用補陽、温中之劑，成爲味岡三伯及其弟子相關著作中一個非常鮮明的特色。

此書在闡述藥物功效主治時，常結合臨床具體使用的方劑進行深入分析，將本草學理論與臨床處方用藥相結合。全書所引醫方有四十餘首，如六君子湯、補中益氣湯、平胃散、二陳湯、香蘇散、滋陰降火湯、橘皮湯、不換金正氣散、藿香正氣散、白术膏、四苓散、如聖散、甘桔湯、百草煎、川芎散、六味地黄丸、四物湯、大補湯、獨參湯、參附湯、敗毒散、仲景八味丸、五苓散、麻黄湯、逍遥散、小柴胡湯、散邪湯、正氣湯、益元散、六一散、黄連解毒湯、大承氣湯、小承氣湯、桂枝湯、升麻葛根湯、芎藭湯、佛手散、烏犀圓、參蘇飲、蘇子降氣湯、柴苓湯等。在論述藥物功效主治的同時，還常常强調用藥禁忌，可見味岡三伯作爲臨床醫者的審慎態度。如中焦穀府類「縮砂」條，云「内熱吐衄等，不可用之」；同類「生薑」條，云「諸瘡及眼病、痔疾、失血等，不可用」；補陰類「生地黄」條，云「胃弱食不進者，不可用之」；補陽類「黄芪」條，云「表邪旺者，不可用之」等。

對不同藥物的功效進行對比，便於學者區别使用。如中焦穀府類「縮砂」條，載「木香及縮砂少異，木香有推氣，縮砂有開氣」；解熱類「山梔子」條，載「與黄芩同而解三焦之熱」；發表類「川芎」條，載「開鬱與香附性異」等。同時，作者還十分注重藥物之間的配伍運用，以增强臨床療效。如中焦穀府類的「木香」條，言「胃冷而腹痛者，與木香、縮砂用也」「治痢疾，與檳榔同用」「與桔梗治胸中之痛」。

在涉及某些病證之時，作者會加入自己的認識來論述醫理、病因病機。如中焦穀府類「木香」條云：「凡痢者，先胃、大腸之病也。故疏通胃則痢自愈也，是通因通用之理也。」補陽類「黄芪」條云：「自汗，元陽之不足；盜汗，真陰之不足也。」雜劑類「辰砂」條云：「煩悶依心氣不足，故心氣焉鎮則煩自止也。」

此書十分重視藥物的炮製，不僅將藥物炮製先於其他内容置於藥名之下，在論述炮製方法時，還會强調炮製禁忌以及不同炮製方法帶來的藥效差異。書中論及的炮製方法有洗、浸、剉、焙、曬、陰乾、炒、蒸、煮、燒、蜜製、酒製、薑製、煨等；炮製禁忌則有忌火、忌鐵、忌銅等。如藿香、木香、肉桂、天花、白芷、升麻、薄荷忌火；白术久浸則藥氣弱；山藥、香附、熟地、芍藥、知母、猪苓忌鐵；甘草「有生、焙二種也，焙調中焦，生清内熱」等。

味岡三伯在書中多處介紹自家的用藥經驗，涉及炮製用藥之法和秘傳之方。如中焦穀府類「香附」條，「此有生、炒、童便製、鹽製四等之差别，然自家用生及童便製也」；補陰類「當歸」條，「自家去頭尾用也」；温中類「乾薑」條，「中古黑炒，弱性用也，自家只少炒用也」；發表類「獨活」條，「自家獨羌一而使」等。書中對世俗以訛傳訛的説法進行了反駁，如補陰類論熟地黄時，指出「世説當歸色赤，故補心血；地黄色黑，故補腎水云，甚誤也」。

此外，書中也論及日本本土藥物與中國出産藥物的藥效對比，如中焦穀府類「白术」條中説明「和白术少甘味，可用漢」。有關日本不同産地藥材的區别，以及與中國藥材的對照情况，在解熱類「柴胡」條有較爲詳細的説明。此處論述和産柴胡有河原（今屬日本鳥取縣）、鐮倉（今屬日本神奈川縣）兩種，且「河原性强，鐮倉性柔也……退虚熱者，宜用鐮倉也……解散熱者，宜用河原也」，而味岡三伯「自家只用鐮倉，和解之劑，而兼半表半裏也」。中國出産的柴胡，即「意庵入唐時所見柴胡，似鐮倉柴胡」。

縱覽全書，《秘傳藥性記》徵引廣泛，尤其重視將本草學理論與臨床實踐相結合，體現了中國醫藥理論及其實踐對日本本土醫藥學發展的影響。在本草學理論方面，作者重視四氣五味的藥性理論、傳統工藝的炮製方法；在臨床實踐方面，注重分析具有相似功效的藥物之間在主治上的聯擊與區別，闡述臨床常用方劑的用藥特點。值得注意的是，書中融入了作者豐富臨床經驗中對疾病及用藥的個人感悟，增强了該書的實用性、嚴謹性。因而，此書具有很高的文獻學和臨床實用價值，值得後學之人發掘整理。

在十六至十七世紀，以曲直瀨道三、曲直瀨玄朔、饗庭東庵和味岡三伯爲代表的後世方派醫家，深入研究傳入日本的中國醫學，在對中醫學有了深刻的理解和把握之後，汲取其中的精華，提取最適於日本臨床運用的關鍵内容來編撰醫著，將中國醫學日本化、簡約化，推動了中醫學在日本的普及，《秘傳藥性記》正是在這種背景下編撰而成的。儘管本書載藥僅有六十味，却是經名醫味岡三伯精心篩選，所選藥物均爲臨床常用之品，用其本人在書首「藥性總論」中的話來説，「頃集輯日用之間頻切之劑」，是「拔書中之拔書」；所述内容經味岡三伯高度凝練升華，與日本的醫療實踐緊密契合，非常便於日本醫者學習，尤爲適於臨床運用，對現今的臨床用藥處方也具有較高的參考價值。

四　版本情况

《秘傳藥性記》初刊於元禄元年戊辰（一六八八），現藏於日本國立國會圖書館白井文庫和村野文庫❶。

本次影印采用的底本，爲日本國立國會圖書館白井文庫所藏元禄元年戊辰（一六八八）刻本。此本藏書號「特1—2931」。全書不分卷，一册，四眼裝幀。書皮墨緑色，破損嚴重，未見書名，左側顔色變淡，應爲原書名題箋脱落所致。書内無扉葉。書首有孫氏騫似軒所撰「秘傳藥性記叙」，其後爲「秘傳藥性記目録」「藥性記凡例」「藥性總論」。正文首葉題「秘傳藥性論」，而非「秘傳藥性記」，無著者署名。四周墨綫單邊，無界格欄綫。上單魚尾，版心上方題寫書名爲「秘傳藥性記」，下方標記葉碼。每半葉八行，行十四字。書末無跋，鎸有刊刻牌記「元禄元年季冬吉日／竹中源右衛門開版」。書中可見少量蟲蛀缺損及水漬痕迹。

總之，《秘傳藥性記》是一部内容獨特、引述廣博、學術嚴謹、便捷實用的日本臨床本草學著作。作者味岡三伯擇選臨床常用六十味藥物編撰成書，不僅重視本草藥性四氣五味及炮製理論，而且注重將傳統本草學理論與現實醫學實踐相結合，并融入自身醫療實踐的經驗和個人見解，反映出作者深厚的醫藥理論功底和豐富的臨床實踐經驗。今影印出版此書，希望能爲國内讀者研究中日本草學的交流和日本臨床的用藥處方特色提供珍稀的醫藥文獻。

需要説明的是，儘管本書作者味岡三伯爲日本江户时代前中期京都一帶的名醫，時人稱其爲「畿内醫學之宗統」，是傳承中國金元四大家醫學的重要人物之一，其門下四杰更是聲名顯赫，對日本漢方醫學的發展貢獻良多；但是，隨着時間推移、時代變遷，味岡三伯流傳下來的著作并不太多，對其

---

❶（日）國書研究室．國書總目録［M］．東京：岩波書店，一九七七：（第六卷）七七九．

醫學特色與成就的研究更是少見。因此，發掘整理并研究味岡三伯《秘傳藥性記》及其門人的《藥性記》《藥性記辨解》等著作，對研究金元醫學在日本的傳承影響以及日本後世方别派的醫學特色等均具有十分重要的意義。

孫清偉　蕭永芝

特1
2931

秘傳藥性記叙

嘗聞醫者意也理也其原起於大皞軒轅聖君哲子相續而有流於庸夫其來也尤久矣于此有一醫稱味先生爲叢內醫學之宗統而自西自東涉海跋域

無思不從學爲然先生積學之
功大甚也其平素臨于病附方
與劑詳而無有鏬漏也爾耳擇
藥性氣味功能驗有効着六十
味集之成一小册目謂藥性記
其書祕於家不妄出也其徒有

積年學熟着則取府而與繕寫
且爲之辯詳矣一月剞劂氏袖
彼書來曰欲鋟之梓依乞爲叙
云余異而不許爲後又來曰今
也反府而不秘吾子無以異於
是閣之藥性主治之條下咨述

其意蓋彼徒之劄記歟嗚呼世以醫鳴者立門秘事今也如是寔醫術之公乎哉

旹元禄戊辰孟冬上浣

勢陽國府孫氏

饕似軒

秘傳藥性記目錄

中焦穀府 十一種

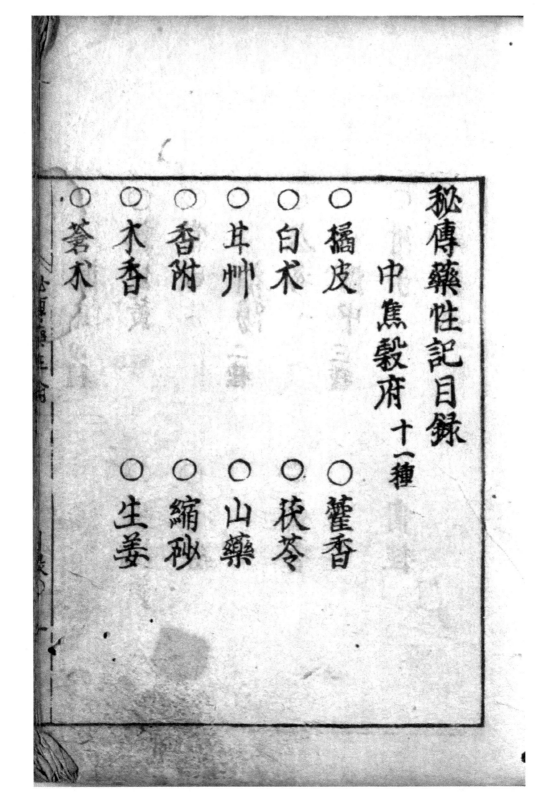

解熱七種

〇柴胡　〇黃芩

〇山梔子　〇黃連

〇天華　〇知母

〇滑石

疏中十種

〇大黃　〇桃仁

〇枳實　〇厚朴

枳殼

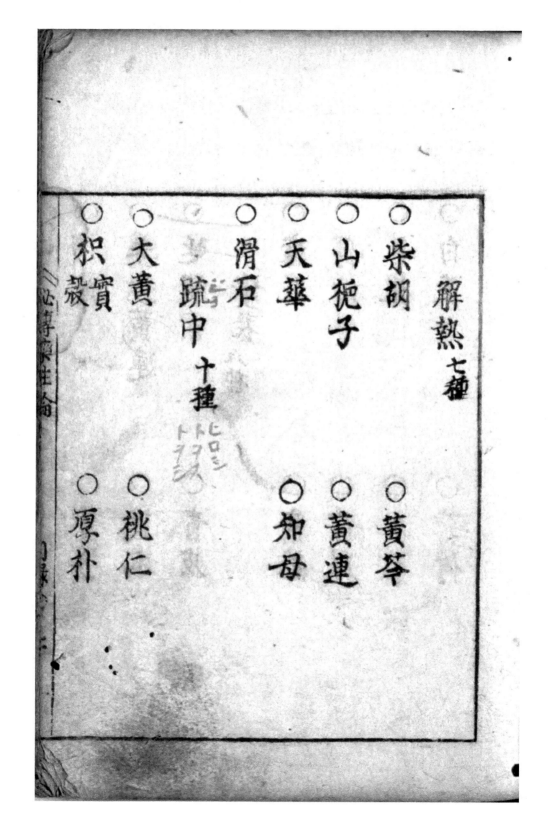

○檳榔　○黃蘗

○姜炒黃連　○莪术

○延胡索　○青皮

發表八種

○麻黃　○紫蘇

○獨活　○防風

○葛根　○川芎

○白芷　○薄荷

痰飲五種

○半夏　○貝母

○紫蘇子　○瓜蔞實

○杏仁

水道二種

○澤瀉　○豬苓

雜劑八種

○辰砂　○阿膠

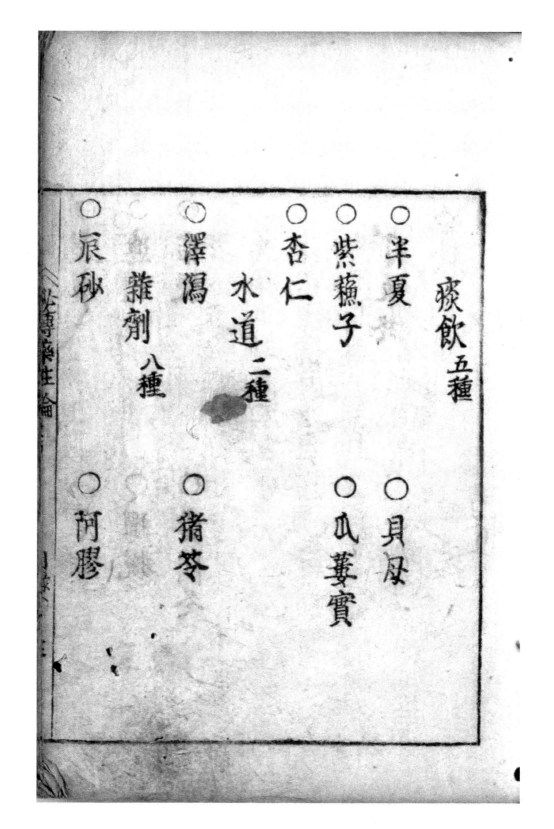

目録終

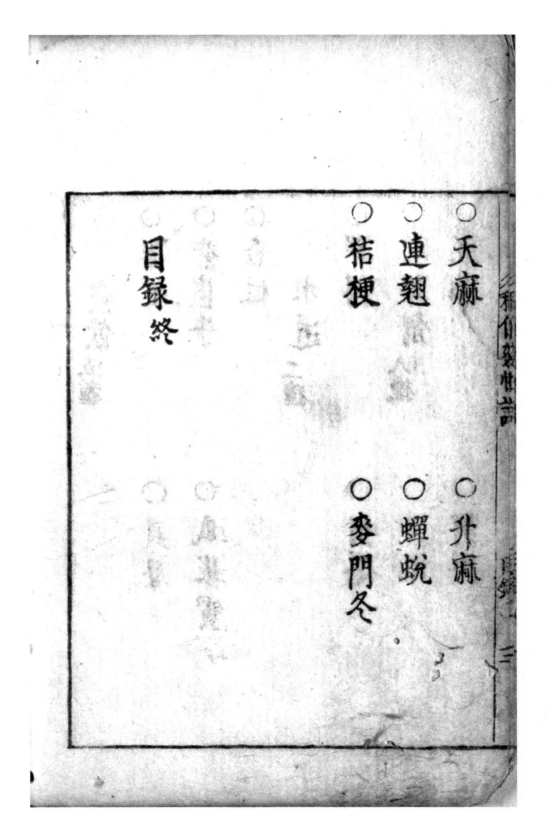

藥性記凡例

○大凡醫者療病治人之職也然今也自先不能詳于藥性之氣味功能亦臨於病不能察病因是甚可憂者乎矣

○夫藥在性氣味陰陽之例不可不辨也蓋氣有寒熱溫涼味有甘辛苦酸鹹性有升降浮沈之差陰陽厚薄之別也

○天有四季八節五運六氣地有燥溼肥瘠人有虛實肥瘠病有外感內傷七情

之因能分別天之氣運土地之人品病症之虛實兼能之的否而可療也

〇至於從治反治順逆表裡脈道之平過不及則詳可看察也

〇如立方賦藥雖以爲一味加減不可妄浪者也

〇用捨之間者練心可審詳也先哲謂不因古方不捨古方是實金言也然而亦藥品之新舊者專於宜焉

○問先所謂氣味陰陽者如何答曰愬而藥性之清者開於腠理帶清中於濁者實於手足濁者入於六府帶濁中於清者走於五藏也氣厚者陽中之陽薄者陽中之陰也味厚者陰中之陰薄者陰中之陽也酸苦鹹而平者味之薄者也鹹苦酸而寒者味之厚者也辛甘而溫熱者氣之厚者也甘淡而平涼者氣之薄者也能分別藥性氣味而用則庶乎

無差誤云耳

凡例終

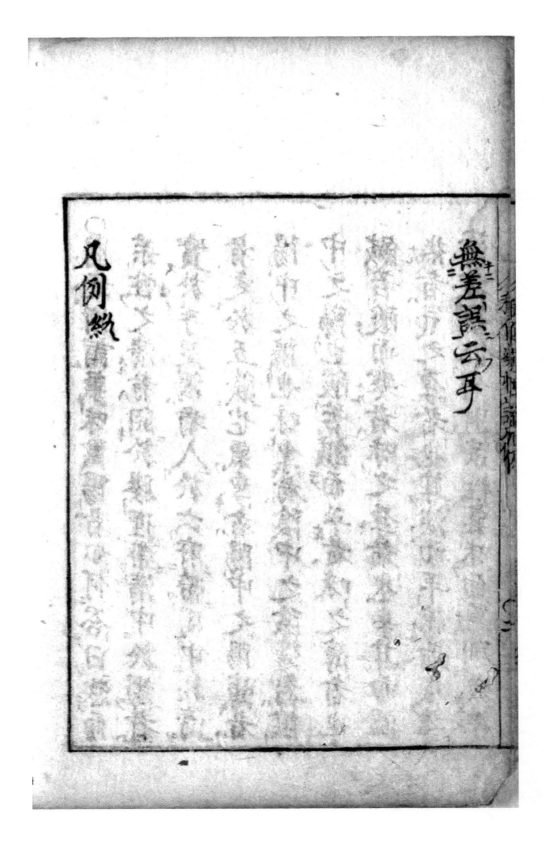

藥性總論

夫惟六十味余常書記所嘗用者爲益本艸者神農之始于本經三百六十五種其及歷代增益以至於時珍之綱目而迄乎一千八百九十二種如此甚多以難曉故頂集輯月用之閒頻切之劑而名之號本艸拔書爲然亦此一部者拔書中之拔書也按

於藥性氣味則其說甚繁矣閱神農
之本經有辛酸甘苦鹹之五味寒熱
溫涼之四氣也宗寇宗奭論此義於
本艸衍義曰寒熱溫涼者謂藥性者
也氣字改性字見爲尤有香用氣也
六節藏象論曰天食人以五氣是五
氣者用香也然平生以寒熱溫涼謂
氣也至眞要大論陰陽應象大論曰

氣味辛甘發散爲陽、此發散之中
包温熱矣非温熱不能散發也又涌
泄之中包寒涼矣非寒涼不能涌泄
也時珍評冦氏未爲詳但惟先言性
則總括氣味功能而於此劑治如何
底之何知極者謂之性也歟

新修藥性論

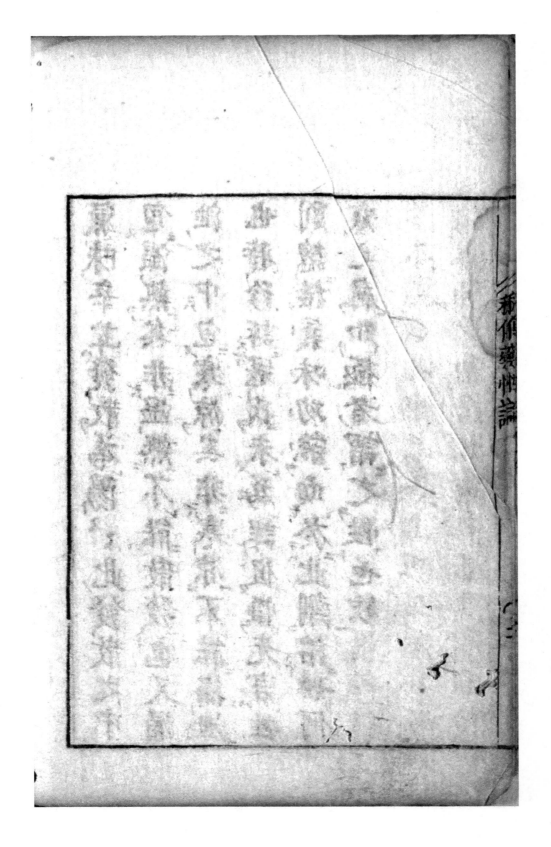

秘傳藥性記

中焦穀府

以中焦穀府爲書初著自家之醫傳有三藏爲三藏者即心脾胃是也蓋心脾二藏元氣之舍陰陽之根原故肝要之地也然而所命係者水穀入於胃府以其津液使養五藏

六府和平故以此義為先是以臨於病用藥先使胃府受藥然后達病處如此則胃者人身之最切處也故内經救書始云治法次載中焦之義以為知中焦之義不可不究者也

橘皮（ミカンノカハ）

浸米泔以熱湯能洗去内白剉乾自焙用◎本經云橘皮六陳

之一也至於後世云陳皮也是有
留向去向之差別留向者如六君
子湯補中益氣湯之類是也以補
中焦言太白者行脾肺之氣有發
表之說也然雖許容自家去向用
也於補中焦何假留向之力哉
味苦辛　大凡味者一偏而雖或
苦或辛多分兼二味三味者也如

此藥帶苦中於辛
氣微溫　微溫及乎大抵相似者
也是等著引雜而無一向謂溫底
之功故雖用内熱病人可也常虛
熱實熱之証用也○凡藥可知所
主有一定之功能如用藥則能分
別古方而后可知得乎一味配劑
也徐春甫古今醫統翼醫通考抄

古方以爲治謂之泥捨古方以爲
治謂之穿鑿治痰用攻痰劑則如
忘君臣佐使之例常可會此理也
利水穀有陳皮中焦之功也以
入六君子湯益氣湯平胃散等可
知也
清痰以入二陳湯可知爲痰藥
入香蘇散則引他藥而發散上部

之邪也所以其發散者卽順行胸
膈之氣故也是以先輩脾肺二經
之藥而上中焦之藥云云
中焦順和之要藥　滋陰降火湯
與陳皮向朮其州是以昧者曰陳
皮下焦藥甚謬也滋陰丨陽意以
此三品為順和中焦與也調和中
焦則藥氣能行也觀香蘇散及候

是橘皮湯與入則如發表之藥不然也畢竟陳皮導生姜之勢而發也實非發散如晏子細見甚切也

藿香　洗土氣忌火○葱而忌火難心得也香之強藥經火氣則香氣弱故見甚下微之

味微辛氣微溫　云辛兼微苦

治吐瀉　陳皮利水穀同事池推

氣弱疏滯氣强故也
中焦順和之要藥　此藥限於中
焦之病故用吐瀉之症勝於陳皮
然陳皮多必用也以不換金〜散
藿香正氣散等可見也此二方雖
專用夏時而四時共順調中焦用
好爲於上下焦曾無功方也最有
用下痢之症是畢竟調中焦則其

流自清道理也

白朮　侵米泔剉乾日然久浸則藥
氣弱矣
味微甘微苦氣微溫　和白朮必
甘味可用漢
補益中氣　是亦中焦之藥也於
上下焦即無功也此一句本草之
文也然可附心爲與人參則有補

益之功也白朮一味引離用則柔調和中焦故每方多用也補益中焦之證様用白朮膏見健脾胃可見如是則補氣之功強於茯苓矣故補陰補陽共不除人參白朮使有調中焦功故也方書燥脾濕云云然用中焦之燥病人則燥難言也

茯苓 去黒皮剉焙○通利水道有

用黑皮然黑皮有利水之功見
味淡微苦氣平　全躰淡而少苦
藥力和於陳皮白朮則氣亦應乎
調和中焦　並使白朮則和中焦
然如白朮無調中焦之功也
又有除濕之功　以此味無利
水而與合澤瀉猪苓則引二藥利
水見也故四苓散與人方中池味

逮四苓散證則茯苓澤瀉與用然白朮澤瀉不用輕者茯苓澤瀉重者加豬苓也○茯苓有水氣者柔時以松明尋所有茯苓其火消云以此事可知有水氣也

茸州 其儘剉用○中世以來有生焙二種也焙調中焦生清內熱云然可不可之差不可在者也

味甘氣平
緩中解毒但性緩而泥膈且減藥
力宜少用　緩中甘以緩之意也
而藥皆入少許以解毒也又小兒
初生用黃連甘艸二味者爲太惡
露也此時使甘艸多恐黃連寒藥
害脾胃也又常中於毒者煎用多
不用也多則泥膈且減藥力脾胃

論詳之也
又甘桔湯治咽喉痛　此方出傷
寒論少陰症治咽痛方也甘艸緩
咽氣桔梗順咽氣故也如此等多
使矣又如聖湯甘桔湯加連翹防
風等以治腫物也見本艸凡緩逼
迫之氣功第一也自家之秘方百
艸煎者以甘艸甘艸二味用熱濾

甚奇妙徹也以是見亦有解熟之
功爲此方萬舉萬當秘方可秘也

山藥 熔忌鉄○忌鉄性損故也下做
此不贅後世
味其氣平 謂平然可溫抵
補中强陰 此非下焦之藥以令
溫中焦蒲故陰分自益理也有潤
功而非如地黄當歸矣中古醫書

雖行手太陰肺經而功能愷不覺

香附　忌鉄説見上此有生炒童便製塩製四等之差別然自家用生及童便製也

味微苦微辛氣平

行中焦之滞氣故曰開欝此藥功能限於中焦之病生用則行開中焦之滞氣也便製用血虚而内

燥也香薷散宜用之世以與香薷散而為發散之藥誤也香薷散以紫蘇陳皮發散以香附行中焦氣也畢竟開鬱之功專也故自古婦人聖藥ト云々蓋鬱証有情鬱氣鬱兩證共多分有頭痛者也治背後

又曰治頭痛與川芎性異ナリ凡治頭痛者誤也香附宜中焦滯塞而

諸氣失升降頭痛此症多者也川
芎散頭序壅塞治痛能各別也合
川芎香附使多矣然當用香附用
川芎則不宜也如何有中焦鬱滯
用川芎香氣甚生嘔吐者也惣用
川芎商香類必可知得此義也
縮砂　妙○土炒殼少炒日久而可用
也香氣強故不出火氣則生嘔吐

烏葱實類可炒用爲抑發生之氣

味辛氣溫　此雖辛溫而非於肉

桂乾姜之類也專中焦之藥也

泄瀉　辛溫故宜乎寒冷瀉而不

宜乎熱瀉也

腹痛　有冷熱之二矣多冷痛故

用可也熱痛在血虛陰虛之人是

症不可也第一閉氣多壓氣少

進食　不食之人依中焦壅塞或
胃氣冷寒也畢竟令順行中焦之
滯氣溫補胃脘冷寒則飲食自進
安胎順行中焦之滯故也　丹溪
用縮砂黃芩白朮也方中以白朮
爲第一或多有血熱鬱熱則以黃
芩爲第一然不可輕用也又曰次
白朮者縮砂木香及縮砂必異木

香有推氣宿歟有開氣內熱吐衄等不可用之　陰虛血虛熱不用也又有用癰伏熱是亦勢熱醒故也猶用艸藥矣亦六味地黃丸有加宿砂為使脂中不泥也然時餘藥多之故無害也

木香　忌火

味辛苦氣微溫　辛味強苦味少

言微温然非如縮砂也
順行中焦之滯氣　此縮砂同功
然有少差也木香推氣強縮砂開
氣強矣非開推順行滯氣也合木
香縮砂用然嫌木香香氣者與縮
砂香附用好也
最能治腹痛　胃冷而腹痛者與
木香縮砂用也　木香推開中焦之

功最勝矣又曰木香雖中焦之藥
與桔梗治胸中之痛以此見則上
部有功效也
治痢疾與檳榔同用 治痢疾則
如下焦之藥不然凡痢者先胃大
腸之病也故疏通胃則痢自愈也
是通因通用之理也

生姜 其儘用若去皮寒也

味辛氣溫　不至温中之開内外
之氣故用外邪發散仲景擧生薑
大棗用佐成無己曰辛甘發散爲
陽之此辛溫兼紫蘇縮砂味也是
以中焦藥發散藥難一定
開胃散邪　假縮砂味故有開胃
之功含紫蘇味故有發表之性也
此二症不可闕之也

諸瘡及眼病痔疾失血等不可用
之是等病素熱症故忌熱藥也
所謂血者得熱而亂實不用決矣

蒼朮　焙○白朮舊根也製法同白
朮熟自秦以來分蒼朮白朮二種
揔根類經年舊者性強而有躁鬧
之功者也
味苦微辛氣微溫

開胃散濕　有辛味故强推開胃散濕與羌活假其氣而彌發也以平胃散不換金正氣散燥中焦之濕可知爲又謂除疫氣唐元旦燒之云云見舊書與今本朝除夜言於計良燒之亦是意也然尋天神宮社家向朮也云云雜下五丁條

補陰　血虛精虛甚謂補陰令

此藥品舉四味者補血主藥也
補陰之劑不止於此

熟地黄 蒸酒忌銅鐵○雖九蒸不
知如何底可為一蒸也然或老醫
語曰以黑豆地黄同蒸也以互熟
為一蒸如是五六蒸為善九蒸過
藥力薄云
味苦氣平 實地黄性寒依蒸為

年也
補益精血不足　是語亦尚當歸
條下與用當歸地黃而當歸輕地
黃重矣又世說當歸色赤故補心
血地黃色黑故補腎水云甚誤也
地黃固色美故名地黃也然以色
黃可謂補脾歟是俗說也總藥入
於胃中而後以其津液潤養五藏

故曰燥則潤之以甘是也○精
血者一源而不可分者也然假令
如以一滴水洒朱赤洒胡粉白也
精虛則補精血虛則補血也又曰
補精血猶腫物用牛房子其達速
也又精血虛人與補劑有泥是古
人所謂虛勞不受補者難治是
也然聞不泥治法於老醫曰先正

氣散及四物湯合方而用不泥受
藥則除正氣散用四物湯尤可信
也譬所用當歸芎藭者用麥門冬
芎藭之意也

生地黃酒焙
味苦氣涼是亦性寒而依酒製
焙爲涼也
主治血熱妄行涼也故清血熱

也經曰血氣者喜溫而惡寒又曰血
得溫而行得寒而凝得熱而亂故
吐血衄血下血之類皆熱故與用
芎藥也凡解熱用黃芩山梔子類
然用地黃者潤而涼血熱故也
胃弱食不進者不可用之　月久
虛病平素或胃弱者忌之蓋有用
則可用熟地黃

當歸 生或酒炒。○有頭身尾差別
東垣雷公有論也其義於乎傳或
問評之然甚說皆難信也稍用破
血、破血之劑甚多矣用他藥而
可也此不及備說也自家去頭尾
用也
味甘氣微溫 得酒氣以為微溫
補益精血不足 功能凡同地黃

而サ軽王海藏説精血重共用宜
也雖血藥而益精也滋陰降火陽
益氣陽與之補其陽可知也

芍藥 生或酒炒忌鉄 涼血熱則
用生補血用酒炒如此則得酒為
平又有焙丹溪用新産之婦人也
叱意産後氣血共衰使發生之氣
不可伐也

味酸氣涼

涼血熱治腹痛與生地黃輕也

用陰虛為淸血熱也是故腎虛多

不用也腹痛有寒症有熱症故舉

痛論舉痛症十四條然多寒痛也

熱痛一條而已是以治熱痛之藥

削寡也然此藥依熱痛而用津液

不行者又用縮砂木香肉桂干姜

等則不用芍藥也冷痛用不損益
君不効則有用芍藥治也凡腹痛
不別寒熱用芍藥而為善誤也
酸味收斂故曰為補陰之助　酸
味第一也故收斂之功極強也然
用血虛脉君藥為助也猶四物湯
用川芎也地芙君當帰臣芍茉使川芎佐其仇川
芎藏氣法時論曰腎悪燥急食辛

而潤之是也此是載餘藥之重而
行故也

補陽

人參 生○頭蘆使人吐而功不各
別提挈元氣依強為吐也去芦頭
生剉用或焙用生焙之分不異也
自中古忌鐵而不可信也蓋剉蓄
久則減藥力故及合劑而剉用宜

味甘氣温　上中焦之藥也味同
黃芪然時珍發明有餘味其義則
於舌上可掌知為此以心傳心之
所也
補神益胃中生發之氣但性厚而
易作飽　以入大補湯見則似有
功下焦然亦下焦之藥但補元氣
第一藥也凡人之氣有神氣形氣

處於膽中為萬事主宰者神氣也一動一靜之間達手足之末者形氣也生氣通天論曰天與日比日者天之陽本而同人之神氣也人参神氣形氣共具者也○用独参湯有要矣至于今世郎臨十死一生時用之是以無益也只其病來極與二三分独参湯事得刻不

可不知

發表藥中用此亦助陽而走表也

用參附陽治中寒是用附子則不

能補元氣用人參則不能溫中故

合參附而用也陰陽應象大論曰

壯火之氣衰少火之氣盛〻〻以是

可知也又敗毒散加人參者元氣

虛而外邪難發散故也又或元氣

甚虛弱而難熱消有用独参湯者
東垣之所謂火與元氣不兩立
此理也
黄芪 焙○剉焙或有蜜製者有
功形氣而不能兼神氣
味甘氣溫
表虛自汗瘧癰內托　自汗元陽
之不足盜汗眞陰之不足也瘧参

芪專用焉癰内托始終專用之也
如何内補元氣人參主之外補形
氣黄芪主之以然故癰内托用之
則朽早愈速也愈而後提補元氣
必用也
得輕削而能達肌膚益其性厚而
塞氣故也　表邪雖不可用而元
氣弱則藥力难達於表是以加芪

以使行於表也即丹溪與芪爲用
爲此也又有加防芪意同也
表邪旺者不可用之表邪盛者
用之則還助邪補留故不用
温中温中者非熱藥非冷藥
故曰温中
附子煨去皮臍。凡雖多熱藥言
大熱者限於此耳

味辛氣大熱　極辛也
主治寒極脉絶　寒極則名中寒
内外冷而及命絶也然則用參附
湯矣言附子救元氣無功故與人
參以助元氣東垣云火與元氣不
並立其是謂乎也仲景八味丸與
附子者元陽眞陰共不足故也又
錢仲陽去附桂製六味丸者眞陰

不足而用有虛火者是元陽不與
於不足故也其他婦人血塊之症
用附子見於本艸然難用也熱以
有虛実也寒熱屬於虛也如中寒
則可為實寒此又虛寒也故用參
附陽也○中寒及陰症之傷寒相
似也是以多差誤此義丹溪詳說
之入於藏為中寒有三陰經為陰

症之傷寒至于後世混雜是義當
闇同春中寒以三陰傷寒為中
寒之證據然是亦难論一概至治
法則無少差別龔氏所言亦尤也

肉桂　忌火。桂枝桂心有二種桂
枝々皮薄者也桂心肉桂内也
味辛氣熱　氣雖熱如附子兆大
熱也

煖中下二焦之冷症　上部冷症
不用也就中下焦之藥也麻黄雖
辛熱麻黄發表之藥也
皮膚濇滯有冷氣者用桂枝　皮
膚濇滯而有冷氣者用肉桂温中
功強故用桂枝也又婦人經水用
不行有効也然妄輕不可用之者
也四時共雖用而秋冬專用之可

溫內其言水道寒恐不行也以用五苓散類可知也○中古以往桂枝能止汗是大誤也是亡不及用麻黄用桂枝也又與入大黄陽明劑發表第一藥也是厥證據也孕婦卒爾不可用之辛熱散血故也散亂血故不用胎育也尤皮膚之氣不行而冷汗出用桂枝以

運行皮膚氣則自然汗止也皮膚
濇滯不用肉桂爲其強也
干姜 炒○ 朮古黑炒弱性用也肉
家只少炒用也
味辛氣熱 氣味辛熱凡同肉桂
嘔吐腹痛手足厥冷 呕吐手足
厥冷優肉桂如腹痛亦宜肉桂凡
厥冷有寒熱分也寒冷宜用之也

蓋有功中下焦於上焦而無功也
禁用與肉桂生姜同　言瘡毒失
血等不用也

解熱　是非發表事解内症之
熱也外邪熱宜發表劑也

柴胡　生。去芦頭洗土氣生用也
柴胡有二種河原鎌倉也修治纂
要意庵入唐時所見柴胡似鎌倉

柴胡云河原性強鎌倉性柔也補
中益氣湯及逍遥散之類退虛熱
者宜用鎌倉也小柴胡湯之類解
散熱者宜用河原也自家只用鎌
倉和解之劑而兼半表半裏也

味苦氣涼

往來寒熱與黃芩同用　往來寒
熱者皆瘧症也或有汗或無汗醒

熱有要兵同春見瘧門治方散邪
湯正気湯類皆發散方也又格致
餘論瘧汗因難易然見瘧症多易
汗也此実依土地依時代又可依
人之資質也若是症用發表之薬
則悪只宜用柴胡黄芩山梔子等
且清虚熱第一用陰虚之熱症
有効故逍遥散柴胡為君薬者此

意也又如入補中益氣湯則功少
共如何人參黄芪醒虚發敵也又
用痰血有効也
黄芩　生○用一味劲切也往来寒
熱用生又酒製少柔也
味苦氣寒
清三焦之内熱加入發表之劑解
感冒之外熱上中下焦内外共

用也上脘有痰亦三焦之內熱
也且痰血小便赤咽燥等症專用
又有香薷散敗毒散加黄芩是外
邪經月外塞表氣怫鬱於內故用
胃中不和者不可用之　胃中不
和而或腹痛泄瀉者不用也腹痛
泄瀉黄栢梔子類用可也　・
山梔子　炒○炒過用也與黄芩桑

也黄芩亦酒製則畧同乎穀道帶
血者宜黄芩也因本州肺大腸之
恙非云尓此義自分能覺矣
味苦氣寒
治煩心引飲及小水赤澁清上中
下焦之内熱也　與黄芩同而解
三焦之熱故出煩心引飲水道赤
渋等之病症也　黄芩條下不出矣

黄連　生。有生及酒製姜製品異
然之義於脉中之内別出功能與
味苦氣寒　是苦寒第一藥也
主治内熱盛實　與黄芩性強瀉
實熱則用生抛虚熱則不用然邪
気實於内元気虚乏者不能強攻
於邪亦補益元気則邪気盛遂如
是者黄芩不可不用然時用酒製

〈秘傳藥性論〉　廿八

故諸瘡　凡瘡者依於湿熱生者也必用黃連黃芩可也

血痢溺血等用之　痢疾帶血則用芩連但元氣虛弱而難用則用黃芩宜爲又血淋之久引不瘥者補血劑中與用有用小兒初生見其州條下

天華　忌火　栝樓根曬製者也性

葛粉強梔子柔者也
味淡氣微寒
治煩渴　上中焦之藥寒熱虛熱
共用止煩渴也然虛熱升上焦煩
渴者知母之功優于此矣

知母
酒焙忌鉄
味苦氣微寒　少苦者也
清陰火而除煩悶　四物湯及降

火湯合知母黃柏者清降火故除
煩悶也
滑石　生　味甘氣寒　味雖甘石
茉故寒也然石膏柔也　主熱實
癃閉　中下焦之解実熱故痢疾
隆水道渋合散滑石六兩甘草一
兩而名益元散或六一散
疏中　疏決疏通之意中者中

焦之義也

大黄 生○大抵使生亦氣塞在上部病症經年月者用酒製九蒸也

味苦氣寒　苦寒第一之薬也然黄連苦寒者別也

通腸胃壅塞　大黄有疎決且抜湿熱凝滞之毒也黄連解熱之薬而醒実熱第一為譬如黄連解毒

湯及承氣湯之類仲景傷寒論傳
失氣用大承氣湯又不失氣用小
承氣湯其胃大腸燥而大便不通
大黃宜為帶血黃連宜也大黃同
雖疎下穀道而大黃桃仁效功者
自別也　下瘡毒便毒虛人宜審
用　四苓散與大黃川芎者為行
水道也間大黃似不可行水道如

何答是譬腫物貼薬腫處如有熱
者能取熱無熱者不取内蓄湿熱則
大黄通湿而行之也若大黄難用
則酒製可用矣

桃仁（モモノサネ）炒　味甘微苦氣平依炒
而氣爲平又有去尖留尖之差別
也留尖者桃仁毒氣爲第一故也
如去尖只可用杏仁爲於桃仁杏

仁搗仁者桃仁最強杏仁次之搗仁又次之　主治大腸秘結　是大黃通腸胃壅寒同事也秘結甚者大黃芒硝兼用爲　血室閉塞　此大黃無功又下便毒桃仁無功而只破血滯其功尤速也　虛人宜審用　大黃性同而峻也

枳實殼

麩炒○麩炒者爲去粘也凡

根古着性強也　実若着性強也
味苦氣微寒　此茶雖苦寒然無
解熱之功爲以踈中之功專也
下胸膈氣通腸胃結實　痰氣壅
盛於胸膈之間及通利於壳道之
塞於水道曾無功矣亦三焦皆塞
用也　痢疾不可缺之　痢病积
殺木香檳榔等不可缺也又淋症

大使不通者通水道之劑如味枳殼也是二使皆不疎通氣不愈也

厚朴　姜製　味苦氣微温　本寒茶也　依姜製爲微温也性強同于枳実与梹榔性強与　疏利腸胃之實脹滯之氣　此藥中下焦之功専也　於上焦曾無功也　平胃散用推擢胃大腸之実脹滯之氣故

檳榔　急火　味苦氣平　味是有
澁味於五味屬若檳有苦訓澁者
莊子天道篇云澁則若而不入
疏積滯之氣逐蚘蟲　胷中下焦
之功殊積滯同厚朴逐蚘虫則积
殼厚朴所不能檳榔優之迹世方
書檳榔下胸中至高之氣者不可
也有中焦於滯氣故逆上而攻胸

中然此證中焦之濁氣則自至高之氣降為胃中蚘虫口傳治痢疾與木香檳榔同用 木香檳榔与用痢疾虛實共不可缺也

黃蘗 酒炒 味苦氣微寒 是亦寒薬也得酒而為微寒與此薬雖解熱可入而蹊功多故也 逐蚘蟲治腹痛且清陰火 逐虫勝於

売厚朴凡逐虫者溫拔之劑也苦寒而逐虫者限於此矣又黃連姜製逐虫也治腹痛者同芍藥為清陰火者滋陰降火湯四物湯以加知母黃栢可知也詳見知母條下用小便蘸宜者是清陰火之意矣

姜炒黃連　味苦氣微寒　本草寒劑得姜為微寒也　主治蚘虫嘔吐

治蚘使挨柳黄蘗而宜治嘔吐用姜製黄連而宜也其故者疎中焦矣亦如痢疾經月不久則元氣不損故用生黄連或經月久元氣乏虚弱故用姜製柔氣強則恐損元氣也

莪术　醋煮焙。堅者也故煮柔而剉焙也　味苦辛氣微溫　是者

中兼辛味功能凡同三棱破散
堅積　積氣經年月久者難散也
此藥宜之言其破散者亦一應散
只久服則積氣然使大便快通利也
是其所爲也人或以使利爲穀道
之藥者亦也

延胡索　焙。本名玄胡索。味苦
微辛氣微溫　此藥疏中兼破血

也似桃仁少柔乳香沒藥同功亦
與沒藥柔也破血桃仁宜下惡血
延胡索宜兼總治血滯而痛也
破結血而止痛　雷公炮炙論曰
心痛欲死速可見延胡注云以延
胡索作散酒服之立愈也是甲集
有血滯衝上而心痛也俗云胸虫
是也所謂破結血止痛以是故也

最能治産後兒枕痛　若有此症童便製為末而黒茶加入可用也俗是云兒枕痛為産後第一ノ薬也

青皮　焙○性強于陳皮陳皮有功上中焦積枳殻枳實異性也

味苦辛氣微温疏決中焦之壅滯青皮能踈中焦之壅滯専一也或如盗汗以性強故陳皮當之青皮

秘傳藥性論　一　卌六

不用斂容也

發表　發表者發散表邪之義。

沸湯去沫，日乾，焙用，忌鐵。

麻黃　去節使叶，古以來根節止汗云云誤也。然不可汗出者止矣，說見拙著之條下。　味辛微苦，氣熱而輕揚，發散傷寒之表熱。　發表第一也。雖多發表之劑，而辛熱之藥限於麻黄以性輕能發傷寒之汗也仲景有汗者用桂枝湯無汗者用麻黄湯、後人見誤之桂枝止汗云非也蓋傷寒使麻黄者寒邪閉腠理則陽氣鬱於内而發熱也然却用熱藥者本所來者寒邪故用之閉腠理發其熱也又近世行氣香蘇散有加味大黄者此以難熱發散故見矣然異國本邦之土地殊一藥不可論也雖可汗之證亦不可過用有汗多亡陽之戒雖可汗之證不可多用也中古以往如元氣虛乏之人不能施發散之劑故合人多用或亦有加龍骨牡蛎末而用者使皮膚固腠理不得傷元氣焉

紫蘇　忌火。夏土用採收陰干用
味辛氣溫　發散風寒濕之表邪
開腠理之壅使氣散越於皮膚也
功能畧同大黄而少弱蓋風寒濕
之三氣共犯表則必閉塞腠理為
亦如暑氣閉腠理自汗悪熱骨不
開烏亦獨活防風者非外邪之感
手急行一身之氣滯故痺痱經年

月者宜之今此謂風寒濕者一朝見犯邪氣者也然藕尤宜之失血不可用　失血者産後下血之類血虚者不得用恐彼香氣爲薰蒸且有辛者散之嫌故也

獨活　焙　本州時珍曰獨活羌活乃一類二種以中國者爲獨活西羌者爲羌活自家獨羌一而使

今世所謂言羌活者性強其病可
使紫藭者獨活猶可也可用独活
症紫藭不悖也　味苦辛甘氣微
温散風寒濕　是症獨活紫藭可
也　治頭項難伸腰膝攣痛　此
紫藭不可也其故紫藭使邪氣發
於表独活使皮膚分肉之氣行故
也　驅毒用之　独活能行気故

治之也紫蘇無功

防風 焙 味甘辛苦氣微溫發散

表邪驅毒用之 能毒同独活

葛根 焙 ○今茱肆交易者味淡擇

辛可用辛性甚好爲然難得也

味甘辛氣平解散肌肉之鬱熱

是独活防風發散者少異也葛根

自内達外散者解肌肉之鬱熱者

見升丁葛根湯可識　驅毒用之
功用同独活防風也
川芎　忌火○味辛氣溫上行而散
邪故治頭痛　散上部之邪氣第
一也　又有下部痛者加入于他藥
而用無治頭痛者　見於香附條下
無　又曰開鬱與香附性異　此
亦見於香附條下也　不可多服

辛能散氣故也
時珍曰如川芎肝経薬也若單服
既久則辛喜帰肺肺気偏勝金来
賊木辛温之薬耗散真気故也
又四物湯有川芎説見于芍薬條
下可参考也復婦人試懐孕川芎
末艾葉煎湯用懐妊則臍下之気
動者也又合當帰川芎名芎帰湯

又名佛手散也因加剤用又異欲

詢芷

急火　味辛氣温治頭面風痛及牙根痛　雖風邪受一身而有頭面者用川芎向芷薄荷而宜其謂牙根痛有上焦之滯故無外邪之感而用之良也　以上二種宜之　嘔吐上氣吐衂等不可用之　是皆逆上若香氣上者也故

不可用方書血業之助用帶下

也亦川芎意矣

薄荷 忌火 味辛氣溫清頭目利

鼻塞之要藥也 是順頭面之氣

第一也輕於川芎白芷故易使也

凡行一身之氣者雖無邪氣而又

宜矣中風症烏犀円薄荷之煎汁

用又加用逍遙散及敗毒散等只

能気軽而令順行故也

痰飲　此部集痰薬出矣大抵

痰者湿痰者也久鬱則成痰火

為諸疾共多皆兼痰也於病因

則有種々或依中焦之滞気而

有発病或胸膈閉塞而為病根

着不治則有臑臂為痛然此症

不能無咳嗽也不咳者痰不切

故也問如此當治咳嗽乎。當治痰疾乎曰痰爲病因咳嗽所痰作故薬有痰剤而無嗽剤爲治者消化盡於痰則咳嗽自然愈也亦感外邪爲咳常多俗此云咳氣是只風邪氣津液滯而成痰此用香蘇散及參蘇發于皮膚愈也一般有眞陰不足而咳俗此云勞咳是只一身之津液枯燥而呼吸之道乾且虛火衝上而令咳也此症爲咳者不急迫而纔也又一般依中焦在積滯以上衝而爲咳俗此云蚀咳是只疎中焦即咳自愈也是非治咳嗽調病根則末自然安矣方書似不可立咳嗽門然不

可無咳嗽門也

半夏　姜製○制法半夏十兩生姜
一兩入制名蒟半夏　味辛氣微
溫　依姜制而爲微溫
消痰燥濕功用痰菜而兼中焦
於下部者曾無功也因燥濕而用
濕痰或欲強燥用天南星也服半
夏而有食進者是之燥中焦之濕

故也辛温者雖為發散及此薬不
能然　血症孕婦及渇症淋病等
不可用之　總津液燥者不可用
或如傷寒半表半裏症小柴胡湯
加用者亦各別之義也如六君子
湯方中有半夏則燥中焦之湿以
所以主人参之功也按内経及運
氣論等無疼字只観運気有飲字

如積飲溢飲飲發之類此皆見于溫症條然別多溫疼可知也○金匱要略疼字始見

貝母 浸生姜焙或生○浸生姜汁用大槩生見半夏柔者也近世方書雖潤肺然難信也此藥有功上焦而無功中下焦焉亦瓜蔞仁潤肺者自別也 味微辛微苦氣平

消痰治嗽與桔梗同用利胸膈與連翹同用散結核　結核有兩種也多痰所為也与連翹同用者連翹解皮膚分肉之毒貝母以消痰也又有真陰不足而成結核者是只難治故劉河澗結核言火証也

紫蘓子　炒○少炒用是異紫蘓非發表者同運於胸膈之滞者也

味辛氣溫順胸膈之氣故消痰治
胸痛　因痰症以胸痛者用之或
痛強而不可忍者用白芥子宜也
撿蘇子降氣湯似可下氣然辛溫
之劑無降氣只順而已　雖痰滯
胸痛之證滯血者不可用之　帶
痰於血則血錯亂故雖胸痛不用
恐散亂也

瓜蔞實　炒。少炒使　味微苦微
苦氣平降痰治嗽　此薬ハ前ノ三味ニ
有損又假令半夏貝母燥湿如濫
水以物浸之蘇子如水散于四方
之意也瓜蔞如留水因於大水流
通上散暑用燥痰良也
杏仁　炒。去尖皮用上中下焦
共有功　味甘微苦氣平主治咳

逆上氣且蹶穀道秘　於上焦咳

逆上氣也桃仁性強故用之宜也

此不雖諸中焦之事者蓋木香檳

榔枳殻等充主中焦之病不及此

矣蹶大便道者桃仁以性強故虛

弱之人用之也

水道　此集水道之方藥其他

雖在下如車前子瞿麥之類通藥

而功能未切辨是故今如益
生。凡通利水道之藥用淡
澤瀉
宜故生使味淡微苦氣微寒主
治小便淋滯水病濕腫止泄瀉亦
通水道故也　此水道第一之藥
也如水病泄瀉使腫氣拔於小便
者用之湯液醪醴論開氣門清淨
府云是意也又千金方腸以上腫

氣通利。蓋以湯液醪醴論之意言也。張仲景五苓散與肉桂者為令氣開也。今多四苓散而用其雖水病有汗者強不拔於水道。有汗故也。然熱甚則非通水道而熱不解。為瘧疾發寒熱作渴病在表裏陰陽不分者小柴胡湯合五苓散而名柴苓湯。

猪苓

忌鉄并火　味淡氣平。水道通利功同澤瀉。但性峻虚人宜審用。此功同於澤瀉而少強矣。是故虚人忌不可用矣。如柴苓湯及五苓散皆方中有猪苓而無害。只用猪苓許則代澤瀉爲用。

雜劑　此集部類難辨者

辰砂

水飛　味甘氣微寒　味雖

可以石業故寒也　**鎭心止煩**

鎭心氣之燥也煩悶依心氣不足故心氣驚鎭則煩自止也或依元気不足煩燥者与人参用亦血分不足与補陰之劑用与其他狂越之症与黃連用黃連涼心之火邪者也

阿膠　燒○古方入蚡蛤燒以烟盡

爲度然燒過則性弱故烟未盡

取出推擢用　味甘氣平治諸失

血　總失血者血脫以露於外者

故用此柔固血脫爲猶器之破以

脩續同意也亦如衄血崩漏之類

急者無功是只宜經日而失血者

若亦失血之急症郎宜黃連山梔

子生地芙等與阿膠一味服用有

功者也

天麻焙○此不焙則在蝕　味苦

氣微温主治大人頭眩小兒驚風

極驗　閲古方多用頭以上病證

於中下焦無益焉最用虛人非人

參之類眩暈頭痛與天麻薄荷用

或與白姜用皆行上焦之氣故也

亦用小兒驚風者因中焦有滯氣

以上衡而目直視所関緊急也此
只病根在於中焦然則治其標
也其他功能無可継之者也

升麻 忌火 味苦氣平 此言苦
者如族柳子苦而渋也 解皮膚
分肉之毒 此謂解皮膚分肉之
毒以升广葛根湯可見為升广解
毒葛根自内達外以解散肌肉之

發熱者也 治牙根腫痛亦因焉
治牙根腫痛者解其分肉之毒故
也亦益氣湯與升ナ柴胡者未審
正傳或問東垣用茶條下升麻能
令清氣從右而上達柴胡能使清
氣從左而上達之確信說也此方
有爲而製者焉
連翹 忌火○一說妙用未詳也功

能畧同于升广而少異也此菜解
毒者別無所用只於其処消而已
解瘡瘍諸痛味苦氣平　諸瘡第
一治有痛滯者
蟬蛻　焙○去頭足焙　味鹹甘氣
寒治癬疥作癢　連翹者拔毒治
痛此者解皮膚之湿熱故陰囊痒
者水煎洗則有速功也

桔梗　焙○去蘆頭焙　味苦氣微溫胸膈順氣之要藥也與甘草同用治咽痛　至胸膈於鳩尾之逼迫之氣得之順緩是以胸膈之病症不可缺之焉

麥門冬　焙○少焙去心用一說浸湯製之　味苦氣微寒　此味微寒平者也　潤燥緩中之要藥也

潤上中焦之燥緩於中也功似于天门冬而易使也又與芎莱潤下部之燥故爲補陰之助爲直不可言補陰之薬矣見滋陰降火湯而可識。孫思邈之加容正脉散專爲涼潤也

秘傳藥性論終

元禄元年季冬吉日

竹中源右衛門開版

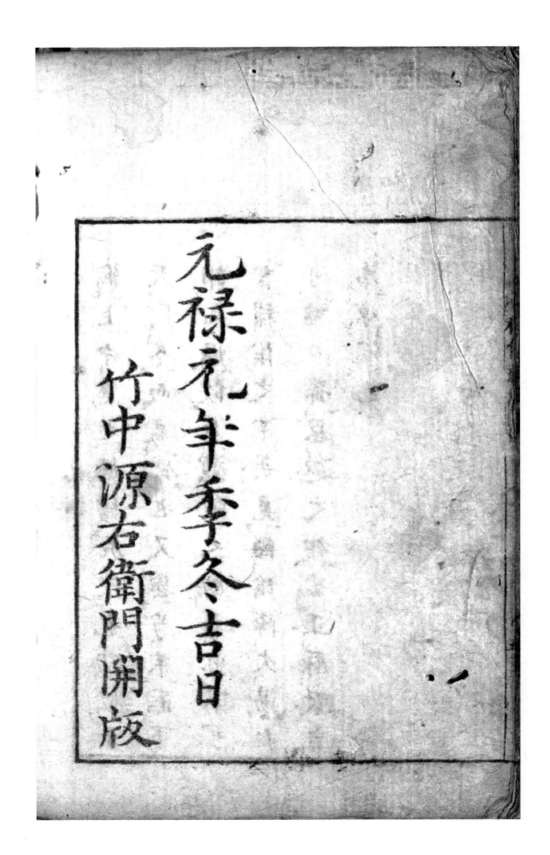

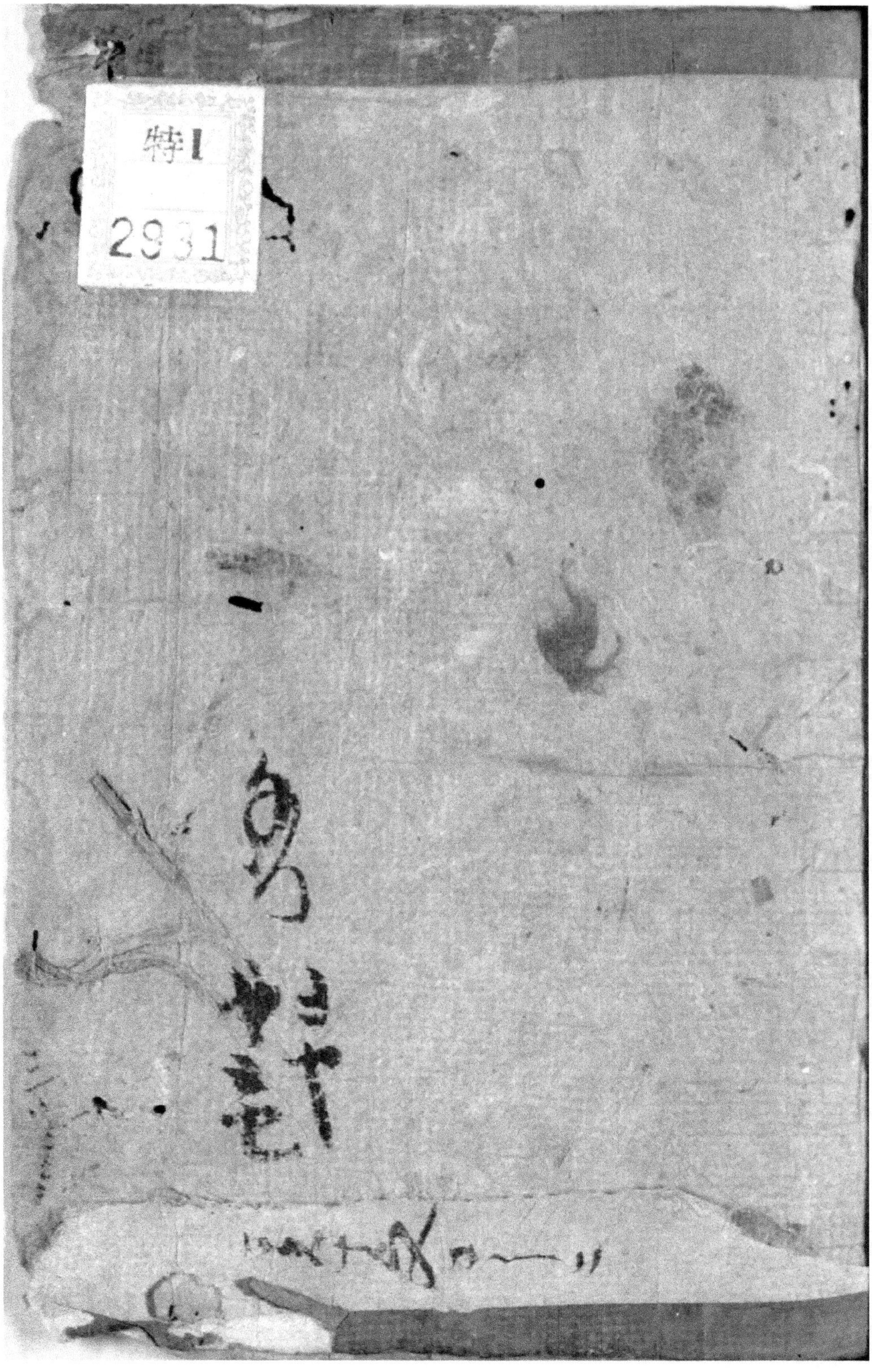
特1
2931

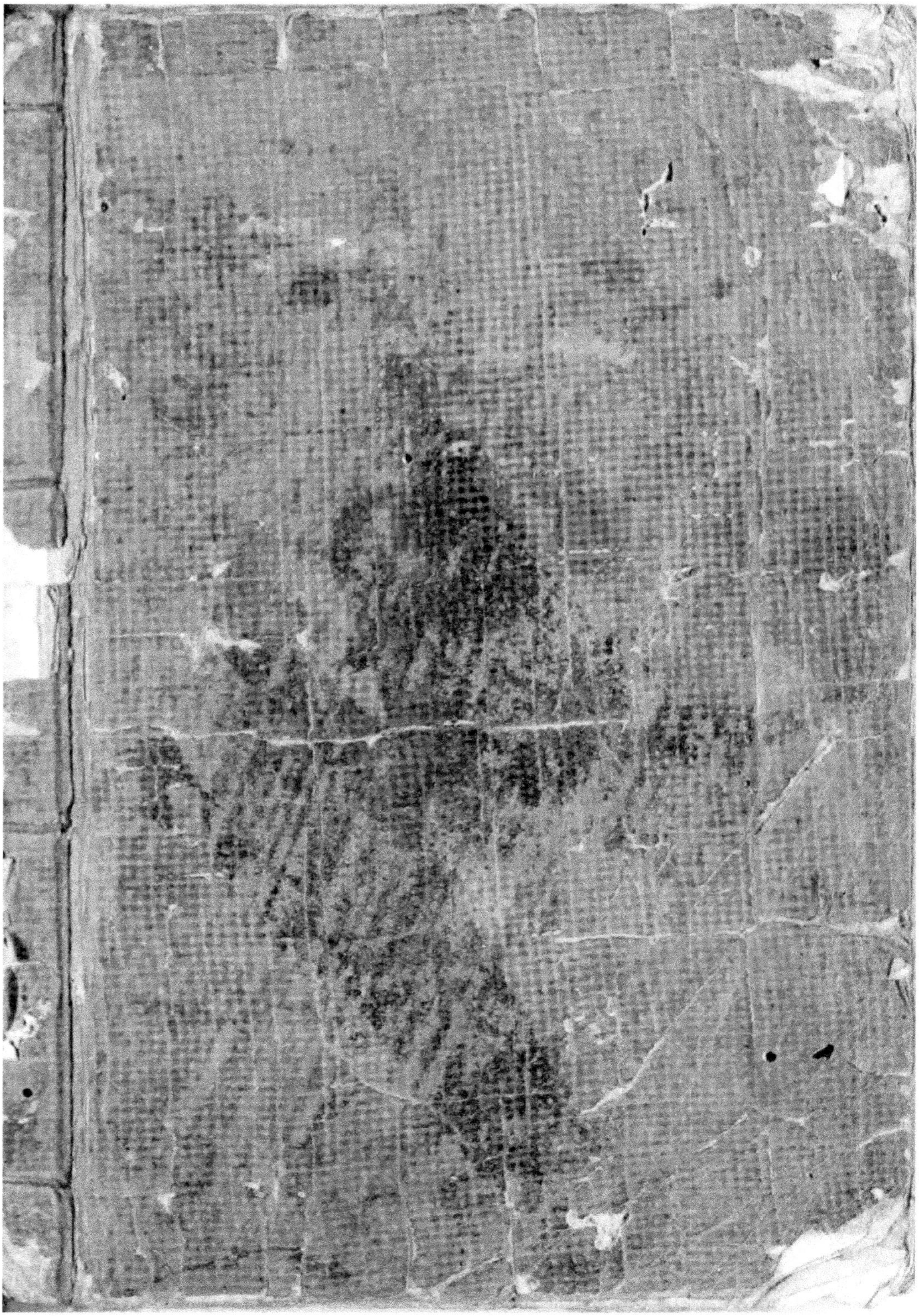